JN126783

未来(みらい)につなげる みつけるSDGs(エスディージーズ)

やさしくわかる エネルギー地政学

エネルギーを使いつづけるために知っておきたいこと

小野﨑 正樹・奥山 真司［共著］
小野﨑 理香［絵］

技術評論社

はじめに

　みんなの生活を支えているのはなんですか？
　毎日つかう電気、バスや車を動かすガソリンは「エネルギー」といわれ、日本はこれを外国からいっぱい輸入しています。
　最近注目されている「地政学」という言葉を聞いたことはありますか？　世界の国々は土地（領土）を持っているため、必然的に自分がどこにいて、どこからエネルギーを運んでくるのかを、自分の居場所をもとにして考えなければなりません。ここで役立つのは「地政学」の考え方です。
　国と国の争いがあると、日本には海外からのエネルギーが入ってこなくなるのではないかと心配になります。石油のようなエネルギーを船で運ぶときにも、海賊に襲われたり、他国の軍艦に停められたりしたら大変です。
　また、エネルギーは石油や天然ガスだけではありません。地球の温暖化を防ぐためにカーボンニュートラル（脱炭素）をめざすには、エネルギーの種類も CO_2 を出さないものに変える必要があります。そのための技術を持つことも大切です。
　このようなエネルギーの種類が変わっていく時代に、エネルギーを確実に日本で使えるようにするには、地政学をもとに世界と日本の関係を考えることが重要です。

この本では、エネルギーとはなにかに始まり、日常で使っている石炭、石油、天然ガスはそのほとんどを海外から輸入していること、それを海外から運んでくるのが大変なことを説明します。また、50年前には石油を得られずに日本は大変だったこと、そのあと世界と日本はどのような努力をしてきたのかなど、エネルギーを得るために地政学がどのように関係しているのかも説明します。

さらに、CO_2を減らすために、太陽光や風力をうまく使うにはどのような方法があるのか、その場合、地政学をもとにしてどの国から持ってくればよいのかを一緒に考えます。おもな国のエネルギー事情も紹介します。

エネルギーと地政学は、難しい関係に思えるかも知れませんが、先生役のフクロウ（小野﨑）とイワトビペンギン（奥山）が日常の例を使ってわかりやすく説明します。また、各国の白頭鷲（アメリカ）、熊（ロシア）、虎（中国）、コアラ（オーストラリア）などの動物キャクターたちが、みなさんにやさしく解説してくれます。年齢を問わず、小中学生だけではなく、大人の方にも興味を持ってもらえることを期待しています。

最後に、このような企画に賛同いただいた技術評論社の最上谷栄美子氏には、本書の出版に際して大変お世話になりました。ここに深く感謝いたします。

2024年 6月　奥山 真司／小野﨑 正樹

目次

0章（序章） エネルギーと地政学はどんな関係があるの？ 13

1章 世界でエネルギーは十分にあるの？ 31

2章 エネルギーはどうやってつくられて使われるの？ 41

3章 エネルギーはどこから運んでくるの？ 61

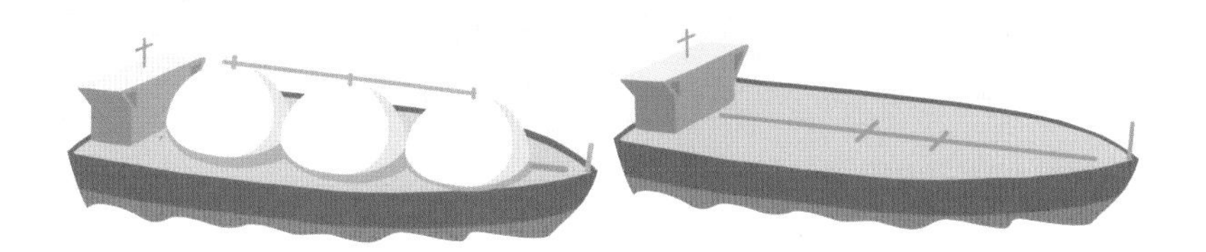

4章 エネルギーは国によって事情が違うの？ 73

5章 エネルギーを安全に使いつづけるためにはどうすればいいの？ 97

キャラクター紹介＆この本の見方

各ページのコラム

エネルギーはどうやってつくられて使われるの？ 2

09 再生可能エネルギーってなんだろう？

自然の力を利用してつくったエネルギー

再生可能エネルギーにはいろいろある

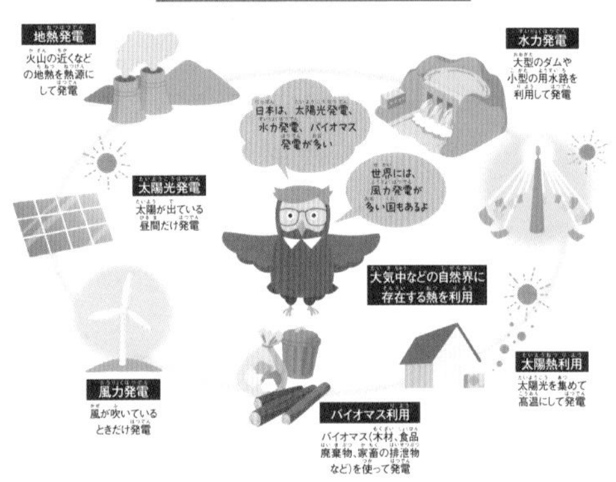

地熱発電
火山の近くなどの地熱を熱源にして発電
水力発電
大型のダムや小型の用水路を利用して発電
日本は、太陽光発電、水力発電、バイオマス発電が多い
世界には、風力発電が多い国もあるよ
太陽光発電
太陽が出ている昼間だけ発電
大気中などの自然界に存在する熱を利用
風力発電
風が吹いているときだけ発電
バイオマス利用
バイオマス(木材、食品廃棄物、家畜の排泄物など)を使って発電
太陽熱利用
太陽光を集めて高温にして発電

再生可能エネルギー（再エネ）とは、自然界のエネルギーを利用するので、使っても再び自然から供給される資源のことをいいます。日本では、太陽光、風力、水力、地熱、太陽熱、大気中などの自然界に存在する熱、バイオマスの7種類を指します。カーボンニュートラルをめざす上で、CO_2をほとんど出さないエネルギーとして注目され、中でも太陽光発電や風力発電が急速に増えています。どんな再エネを使うのがいいかは国や地域で異なります。

再エネの多くは電気で供給されます。日本で使っているエネルギーの 30% は電気で、今後、電気自動車が増え、デジタル化が進むので、電気の割合がさらに増えるでしょう。

56 ●カーボンニュートラル(5章1節参照)

再生可能エネルギーをうまく使うには？

電気には 50 ヘルツと 60 ヘルツがあるの？

家庭で使う電気は交流で、東日本では 50ヘルツ、西日本では60ヘルツです。東日本と西日本で電気をやり取りするには、周波数を変える特別な装置が必要で、その量に限りがあります。

明治時代に、東京ではドイツの発電機を、大阪ではアメリカから60ヘルツの発電機を輸入したことで、東と西で異なる周波数になってしまったのです。

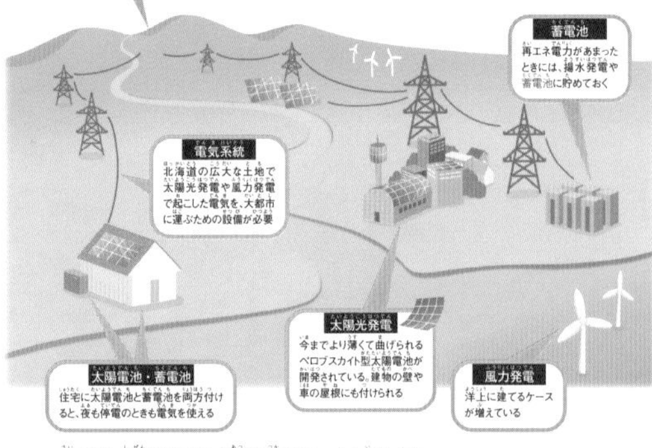

揚水発電
電気が必要なときには、水力発電。電気があまっているときには、発電機を逆に使ってポンプとして水を上の湖に揚げる
蓄電池
再エネ電力があまったときには、揚水発電や蓄電池に貯めておく
電気系統
北海道の広大な土地で太陽光発電や風力発電で起こした電気を、大都市に運ぶための設備が必要
太陽光発電
今までより薄くて曲げられるペロブスカイト型太陽電池が開発されている。建物の壁や車の屋根にも付けられる
太陽電池・蓄電池
住宅に太陽電池と蓄電池を両方付けると、夜も停電のときも電気を使える
風力発電
洋上に建てるケースが増えている

再エネは、自然のエネルギーを集めて使うので、広い面積を使います。大型の火力発電所で発電する電気を太陽光発電で発電するには、ざっと20km 四方の広大な土地が必要です。また、太陽光発電では夜は発電しないし、風力発電も季節や天気に左右されます。従って、火力発電などで発電する電気の量を調整したり、蓄電池で電気を出し入れします。

これからは、風が良く吹いている遠浅の海に、洋上風力発電を増やそうとしています。

火山の近くで地下の高温の熱を使う地熱発電は天気に左右されませんが、適切な建設場所がなかなかありません。

●蓄電池(5章3節参照) ●洋上風力発電(4章7節参照) 57

解説文　キーワードの参照先　キーワード

この本の見方

この本では、解説文をよりわかりやすくするために、イラストやキャラクターの会話で説明しています。また、キャラクターの会話だけでは難しい言葉は、各ページのコラムでさらに詳しく説明をしています。

最初から順番に読んでいただけるようにしていますが、気の向くままにページを開いて読みはじめてみてください。

この本で登場するキャラクター

この本ではウサギさん、カエルさんが日ごろ疑問に思うことをフクロウさんとイワトビペンギンさんに質問します。

フクロウさんとイワトビペンギンさんはその疑問について、丁寧に説明してくれます。

フクロウさん

環境や産業、エネルギーのしくみなど、
幅広い知識を持つ物知りフクロウさん。
イワトビペンギンさんと一緒に
ウサギさんとカエルさんの疑問に
丁寧に答えてくれる。

ウサギさん

最近のエネルギー不足が、
気になり出したウサギさん。
どこからエネルギーが
運ばれてきているのか、
どうしたらエネルギーを安心して
これからも使えるのかを知りたくて
勉強をはじめた。

カエルさん

特に海や水辺の環境が
気になるカエルさん。
これからも安心して暮らせるのか、
ご飯は食べられるか
気になっている。

イワトビペンギンさん

国とのつながりや軍事分野に
深い知識を持つ
物知りイワトビペンギンさん。
フクロウさんと一緒に
ウサギさんとカエルさんの
疑問に丁寧に答えてくれる。

この本に出てくる国と地域

ロシア

日本の45倍の世界でもっとも広い国。原油だけではなく天然ガスも豊富

中国

経済大国、軍事大国、それに、再生可能エネルギーの機器をつくる産業やそのための材料供給は世界一

ノルウェー

北海で天然ガスを生産してヨーロッパ各国に輸出している。一方で、国内の電力は、ほとんどが水力発電

ドイツ

原子力での発電をやめ、石炭火力発電も2030年に廃止。北部の海岸線にある風力発電を中心に再生可能エネルギーの導入が進んでいる

イギリス

ヨーロッパにありながらEUに属さない国。北海の油田を開発して原油を生産していたが、量が減ってきた

ウクライナ

ロシアの軍事侵攻に対して抵抗をしてきた。NATOやEUにはまだ入っていない

フランス

原子力発電が中心で、今後、再生可能エネルギーを増やしていこうとしている

スペイン

太陽熱発電と風力発電の導入を早くから進めてきた。天然ガスは、パイプラインや、アメリカからLNGとして輸入

イタリア

エネルギー資源に乏しく、80%を海外から輸入している。石炭火力と原子力を廃止し、太陽光発電を中心にしようとしている

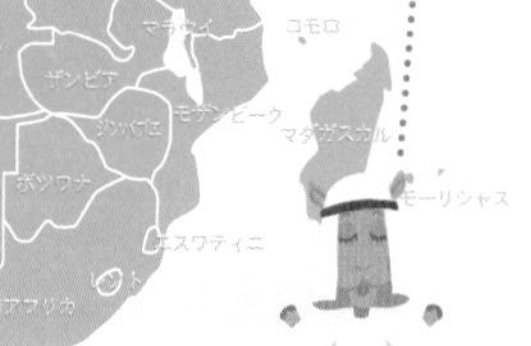

インド

世界でもっとも多い14億人が住んでいる。エネルギーを石炭と石油に頼っていて、CO_2排出量は世界で3番目。再生可能エネルギーのポテンシャルは高く、中国よりも遅れて2070年にカーボンニュートラルを実現する計画

中東

東はアフガニスタン、西はトルコ、その間に広がる15カ国からなる国々を指す。サウジアラビア、イラン、イラク、クウェート、UAEには原油が豊富にあり、世界で有数の生産量を誇っている

アフリカ

原油を産出する国には、世界で15番目に産出量が多いナイジェリアを筆頭にアルジェリア、アンゴラ、リビアがある。天然ガスは、北アフリカのアルジェリアからヨーロッパ諸国へパイプラインで輸出。再生可能エネルギーは、北アフリカやサブサハラで太陽光発電が大いに期待できる

この本に出てくる国と地域を紹介します。地政学とエネルギーの関係を知るためにも、日本とほかの国々との位置関係を見ておきましょう。

アメリカ合衆国
カナダ
グリーンランド
日本
エネルギーのほとんどを他の国から輸入する。再生可能エネルギーと原子力発電でエネルギー自給率を上げようとしている
日本
アメリカ合衆国
大西洋
東南アジア
経済が大きく成長している国々が多い。原油や天然ガスは、東南アジア各国で生産され、使う分が増えるも、天然ガスをLNGとして輸出する国がある。石炭は、インドネシアで多く生産し、日本はオーストラリアに次いで2番目の量を輸入している
メキシコ
ベネズエラ
コロンビア
パプアニューギニア
ブラジル
太平洋
アメリカ
石油や天然ガス、再生可能エネルギーが十分にあり、世界一の新しい技術をほこる。世界中に軍事基地をおく
ペルー
ボリビア
オーストラリア
チリ
アルゼンチン
ニュージーランド
オーストラリア
化石燃料だけではなく、再生可能エネルギーの水素など、さまざまな資源が豊富

ご注意：必ずお読みください

●本書記載の内容は、2024年6月1日現在の情報です。そのため、ご購入時には変更されている場合もあります。

●本書に記載された内容は、情報の提供のみを目的としています。本書の運用については、必ずお客様自身の責任と判断によって行ってください。これらの情報の運用の結果について、技術評論社および著者はいかなる責任も負いかねます。

●本書の全部または一部について、小社の許諾を得ずに複製することを禁止しております。

以上の注意事項をご承諾いただいた上で、本書をご利用願います。これらの注意事項をお読みいただかずに、お問い合わせいただいても、技術評論社および著者は対処しかねます。あらかじめ、ご承知おきください。

0章（序章）

エネルギーと地政学はどんな関係があるの？

エネルギーはなにに使われるの？

エネルギーがないと生活できない

そもそもエネルギーってなんだろう?
エネルギーは、なんらかの仕事をする力のこと。電気や燃料、熱などいろいろある
エネルギーは、生活する上でなくてはならないんだ
人の体も食べ物をエネルギーにして動くよね
自動車や機械を動かす以外に、物をつくることにも使われているんだね
燃やして電気にして使う
燃料として使う
熱として使う
鉄や化学製品をつくる原料にする
NOODLE
NOODLE

エネルギーには、木材、石炭、石油、天然ガス（LNG）などの燃料や原子力のエネルギー、太陽や風の自然のエネルギー、それらからつくった電気などがあります。燃料は車や飛行機を動かすのに使うだけではなく、燃やして熱にしたり、電気にします。電気はエアコンなどの動力やスマホやパソコンなどの電子機器などにも使います。また、鉄やプラスチックなどの製品をつくるのにも必要です。人が生活する上でエネルギーは欠かせません。

その昔、日本では、薪や木炭、さらに石炭を掘っていました。電気を多く使うようになってからは、山にダムをつくり水力発電で電気をつくるようになりました。その後、エネルギーを使う量が増え、日本では、石油を多量に輸入するようになりました。今は、LNGもたくさん輸入しています。

石油を多量に使う時代になり、石油が採れない

20世紀中ごろまでのエネルギー

20世紀中ごろまでは、日本の中で生産した石炭を燃料としたり、発電に使っていました。その後、水力発電が増えました。また、石油は海外から輸入して自動車などの輸送用に使っていました。家庭では、薪や木炭を暖房や調理に使っていました。

日本の経済が急激に発展していたころのエネルギー

第二次世界大戦後は、経済が発展し、エネルギーを多く使うようになりました。その結果、日本は原油、石炭、天然ガスなどの化石燃料を大量に輸入するようになりました。世界のどの国でも、必要なエネルギーを確保するのに必死です。

現在とこれからのエネルギー

地球温暖化をおさえるために、太陽光発電や風力発電などの新しいエネルギーを使うようになってきました。それでも、日本ではエネルギーの輸入が必要です。

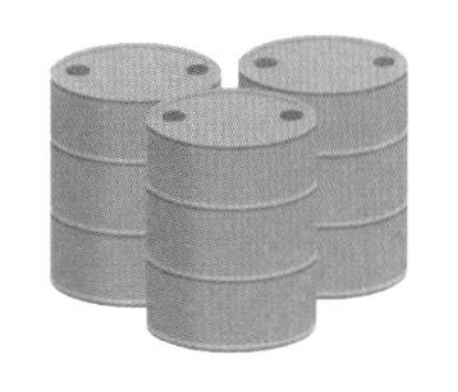

一次エネルギーってなんだろう？

エネルギーとは、熱、光、音などを出す働きや、物体を動かす働きなどの仕事をする能力をいいます。自然に存在しているエネルギーで、加工していないものを一次エネルギーといいます。

石炭や原油、天然ガスなどの化石燃料や太陽光・風力・水力・地熱などの再生可能エネルギー、核燃料は一次エネルギーです。一方、電気や水素は、一次エネルギーを加工して得られたものなので二次エネルギーといいます。

国は、原油を生産する産油国から苦労して輸入してきました。産油国は限られ、原油を売るかどうかの主導権があるため、石油を買う国に不利な条件で売る場合があります。その結果、争いがおきることもあります。ただし、買う国は、必要な量を得るためには、争わないように値段が高くても買っています。

エネルギーを安定して使えることは、食料とともに国にとってもっとも大切なことです。日本は、石油や天然ガスは採れず、船でもってくるしかなく、苦労してきました。しっかりとエネルギーを得る方法を考えるのに役立つのが地政学です。

世界でエネルギーの奪い合いが起きているの？

地理的な条件で資源のある国とない国がある

地政学からわかる世界のエネルギー

地政学ってなんだろう？

地政学とは、地理的な条件から国家の行動や、国と国の関係を説明する方法論です。

地形
●海、山、平地
●砂漠、火山
資源
●化石燃料
●金属資源
地理観
●隣国との関係
●大陸や島、海峡
気候
●寒暖、雨量
●太陽光、風

地政学は、地理観・地形・気候・資源など、その地域の特性から、エネルギーを得るためにどうすればよいかを考えるヒントになります。

エネルギーの中でも原油、石炭、天然ガスは資源と呼ばれ、どこにどの資源がどれだけ埋蔵されているのかは、地理的にすでに決まっています。再生可能エネルギーである太陽光発電や風力発電は、気候や地形に左右されますし、水力発電や地熱発電は山や川の地形が重要です。さらに、つくったエネルギーは、国と国でやり取りすることもあります。エネルギーの資源がない国は、ある国から買って運んでくることになります。売る国も買う国もお互いに得をします。

ロシアはウクライナへの侵攻をきっかけに、ヨー

エネルギーを得るために争ってきた

ウクライナへのロシア侵攻のほかにも、古くは19世紀に、フランスとドイツが石炭と鉄鉱石を取り合う争いがありました。また、第一次世界大戦後には、中東では、アラブの国々とイギリス、フランス、アメリカの間で、石油の取り合いで争ったという歴史があります。このように、エネルギーを得るために、国と国の間で多くの争いがありました。

戦争
他の国へ乗り換える
地政学で国と国の
つながりを知って、どうすれば、
きちんとエネルギーを
確保できるか考えよう
A国
B国

ロッパにパイプラインで送っていた天然ガスを止めました。そのため、ヨーロッパの国は世界各地から天然ガスを買うことになり、世界の天然ガスの値段が大きく上がりました。

日本は、第二次世界大戦や中東での戦争のとき、石油を得るのに苦労しました。エネルギーを持つ国が優位なため、エネルギーを買う国は、国どうしが争っているときにはエネルギーを得ることが難しくなります。エネルギーを安定して得るには、世界の国々が何を考えているのか、なぜそう考えているのかを知る必要があります。そのためには、地政学を学ぶことが重要です。

次節から、地政学で重要な言葉を説明してゆきます。

03 ランドパワーとシーパワーってなんだろう？

世界の歴史を動かしてきた大国たちの対立

ランドパワーとシーパワーの争い

地政学では、人類の歴史はシーパワーとランドパワーという2つの勢力が争いつづけてきた歴史という認識が土台にあります。

ランドパワー

両勢力は、政治体制や文化の違いから歴史的にも何度も衝突してきた

シーパワー

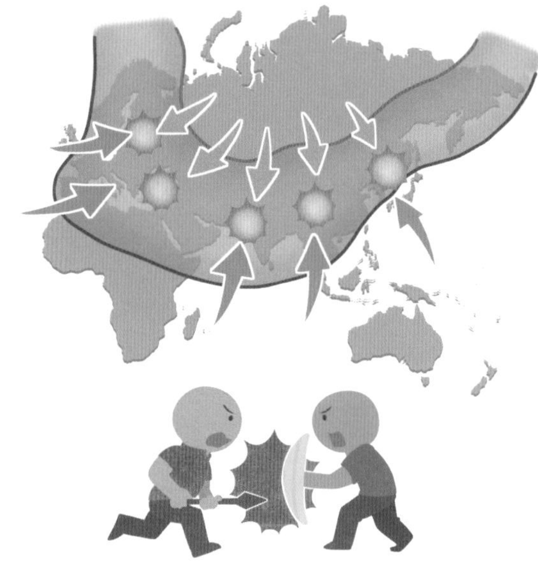

ランドパワーとはユーラシア大陸に位置する大陸国家のこと。ロシアやドイツ、そして中国などが該当する

シーパワーとは、ユーラシア大陸の外側に位置して国境の多くを海に囲まれた海洋国家のこと。イギリスやアメリカ、そして現在の日本が該当する

シーパワーの国は、一般的な傾向として積極的に海外との貿易によって国力を高め、自由な民主主義を目ざす傾向があるといわれています。

対照的に、ランドパワーの国は周囲の国々との領土をめぐる争いによって、閉鎖的で独裁的な体制をつくる傾向が強いとされています。

ランドパワーかシーパワーかは、国家の地理的な位置関係によってその大枠が決まります。もちろんドイツのような内陸寄りの国がシーパワー大国になれないわけではないのですが、隣国との関係から陸上に脅威がある国は、必然的に軍事組織や国家のしくみを陸を重視した国、つまりランドパワーになる傾向が高いのです。

なぜ国ごとにパワーが分かれるの？

ランドパワーかシーパワーかは、国の置かれている位置が大きく影響しますが、必ずしも、どちらかに決まるものではありません。日本も昔は内向きなランドパワー的な国でしたが、明治時代以降は海外に展開してシーパワーの国になったのです。

ロシア
ユーラシア大陸の北半分を支配する大陸国家

ドイツ
ヨーロッパ随一の経済力を持った典型的な半島の大国

日本
四方を海に囲まれた島国だが過去には内向きな姿勢をとっていたこともあった

アメリカ
大陸だが、国境の多くが海に面していて、世界一の海軍力を持っている

ランドパワー
シーパワー

中国
海に面した大陸国家で内陸では周辺民族との争いが脅威に

フランス
かつてヨーロッパでの覇権を争う。地中海を越えておもにアフリカに植民地を獲得した半島国家

オーストラリア
ユーラシア大陸から離れた大陸規模の島国。海軍力は弱い

イギリス
典型的な島国で、かつては世界に植民地を獲得

その一方で、フィリピンのように海に面していても陸上に脅威がある場合は、どうしてもランドパワー的な能力を重視する傾向が強まります。つまり地理的に恵まれていても、本格的にシーパワーになるのかどうかは、国の文化や政府の方針などによっても変化します。これからもわかるように、シーパワーかランドパワーかというのは、地理的な面だけではなく、その国の政府や国民の性格や文化などにも左右される側面があるのです。

04 シーレーンとチョークポイントってなんだろう？

シーレーンを確保するにはチョークポイントが重要

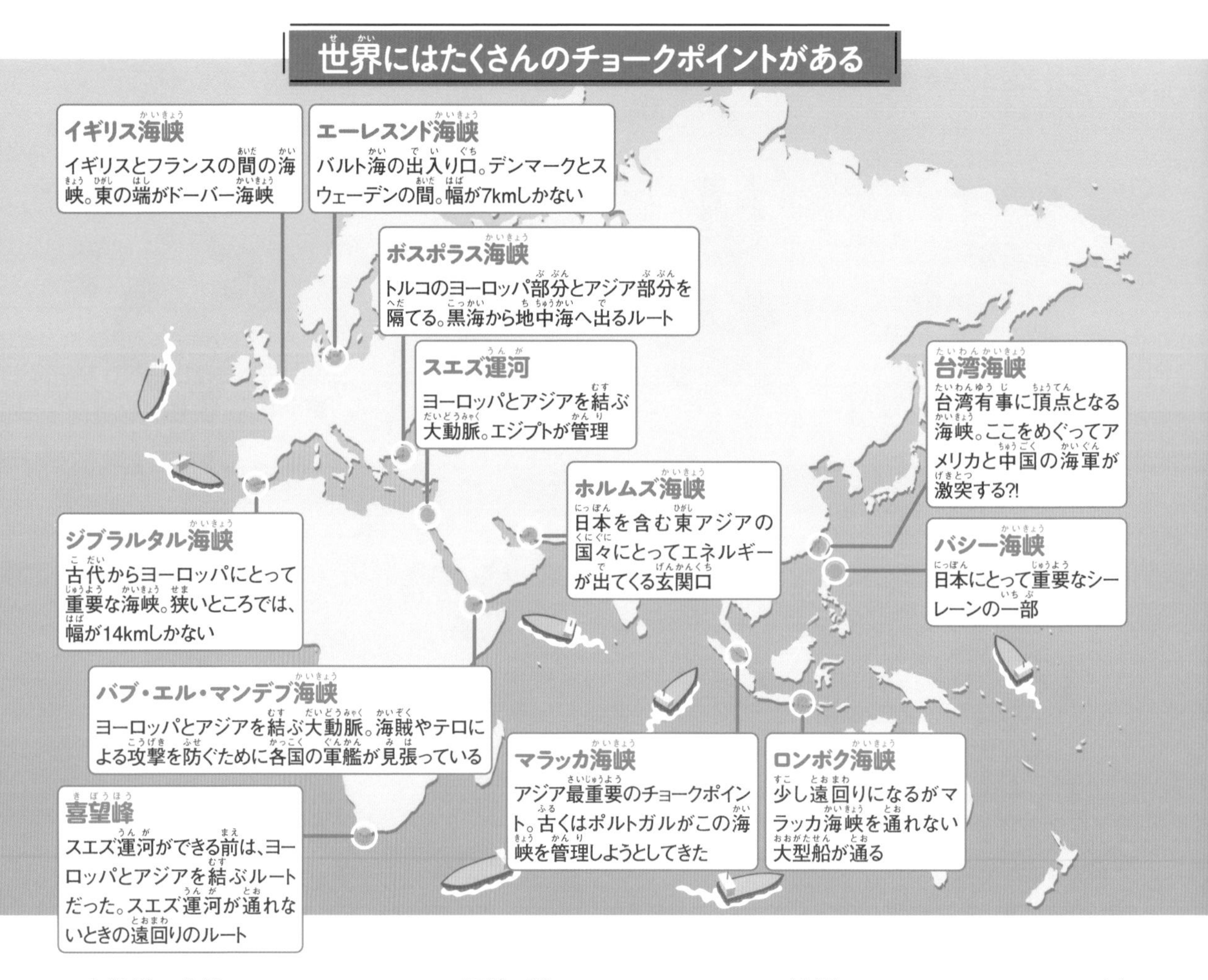

世界にはたくさんのチョークポイントがある
イギリス海峡
イギリスとフランスの間の海峡。東の端がドーバー海峡
エーレスンド海峡
バルト海の出入り口。デンマークとスウェーデンの間。幅が7kmしかない
ボスポラス海峡
トルコのヨーロッパ部分とアジア部分を隔てる。黒海から地中海へ出るルート
スエズ運河
ヨーロッパとアジアを結ぶ大動脈。エジプトが管理
台湾海峡
台湾有事に頂点となる海峡。ここをめぐってアメリカと中国の海軍が激突する?!
ホルムズ海峡
日本を含む東アジアの国々にとってエネルギーが出てくる玄関口
バシー海峡
日本にとって重要なシーレーンの一部
ジブラルタル海峡
古代からヨーロッパにとって重要な海峡。狭いところでは、幅が14kmしかない
バブ・エル・マンデブ海峡
ヨーロッパとアジアを結ぶ大動脈。海賊やテロによる攻撃を防ぐために各国の軍艦が見張っている
マラッカ海峡
アジア最重要のチョークポイント。古くはポルトガルがこの海峡を管理しようとしてきた
ロンボク海峡
少し遠回りになるがマラッカ海峡を通れない大型船が通る
喜望峰
スエズ運河ができる前は、ヨーロッパとアジアを結ぶルートだった。スエズ運河が通れないときの遠回りのルート

地政学で世界をコントロールするために必要と考えられているのは、通り道の確保です。その証拠に歴史を振り返ってみても、世界で覇権を握ってきた国は、その支配地域の主要な通り道を管理してきました。

世界の物流はそのほとんどが海上を通じて行われています。全世界や地域で抜きんでた、いわゆる覇権を持つ国家は、このような通商と軍隊が通らなければならない海上ルートのチョークポイントを管理することによって権力を維持してきました。

過去の大英帝国、そして現在のアメリカが世界覇権を握ることができたのは、まさにこのようなチョークポイントを、その強力な海軍によって管理する力を持っていたからです。つまり「チョークポイントを握った国が世界を制する」ということなのです。

チョークポイントの中でもホルムズ海峡とパナマ運河は特に重要

日本を含む東アジアの国々が経済発展するためには、中東からのエネルギーなどの運搬ルート上にあるマラッカ海峡やホルムズ海峡も重要です。また、アジアとヨーロッパを結ぶスエズ運河や、その出口にあたるバブ・エル・マンデブ海峡、そして地中海の出口であるジブラルタル海峡も、エネルギーの動向に大きく影響します。ロシアのウクライナ侵攻では、黒海の出入り口に位置するボスポラス海峡も重視されるようになりました。アメリカと日本の貿易には、特にパナマ運河が重要です。

地政学では、世界のシーパワー大国になるためには、これらのチョークポイントをすべて押さえる必要はないんだ
重要なものを数カ所押さえるだけで支配的な位置を占めることができるといわれてるよ
パナマ運河
1914年に開通した大西洋と太平洋を結ぶ大動脈。パナマが管理
マゼラン海峡
パナマ運河が開通する以前は、太平洋と大西洋を横断するための主要な航路。幅が狭く航行の難所
通行料

パナマ運河でなぜ通行料を払うの？

チョークポイントの代表的な存在は、なんといっても大きな海と海を隔てる海峡で、歴史を見ても大国はそこを押さえることによって国力を発展させてきました。その代表が、アメリカが大国になるときに押さえたパナマ運河です。現在、パナマが管理し、通行料を取っています。

近年は気候変動の影響もあって通行量を制限しており、通行料もじょじょに値上げされています。

チョークポイントってなんだろう？

チョークポイントとは、3つの特徴がある狭い国際水路のことです。

❶ 水路が狭く、商業用、軍事用ともに遮断できる海の道
❷ 閉鎖された場合、かんたんに利用できる海上ルートがない
❸ 少なくともいくつかの国にとって重要でなければならない

これらの条件を満たすと思われる主要なチョークポイントはいくつかありますが、アメリカ海軍の元軍人であるマハンは、世界に冠たるシーパワー国になるためにはすべてのチョークポイントを制する必要はなく、主要なものを数個コントロールすればよいといってます。

05 リムランドってなんだろう？

世界の権力争いの場所になる

リムランドはハートランドとシーパワーに挟まれたエリア

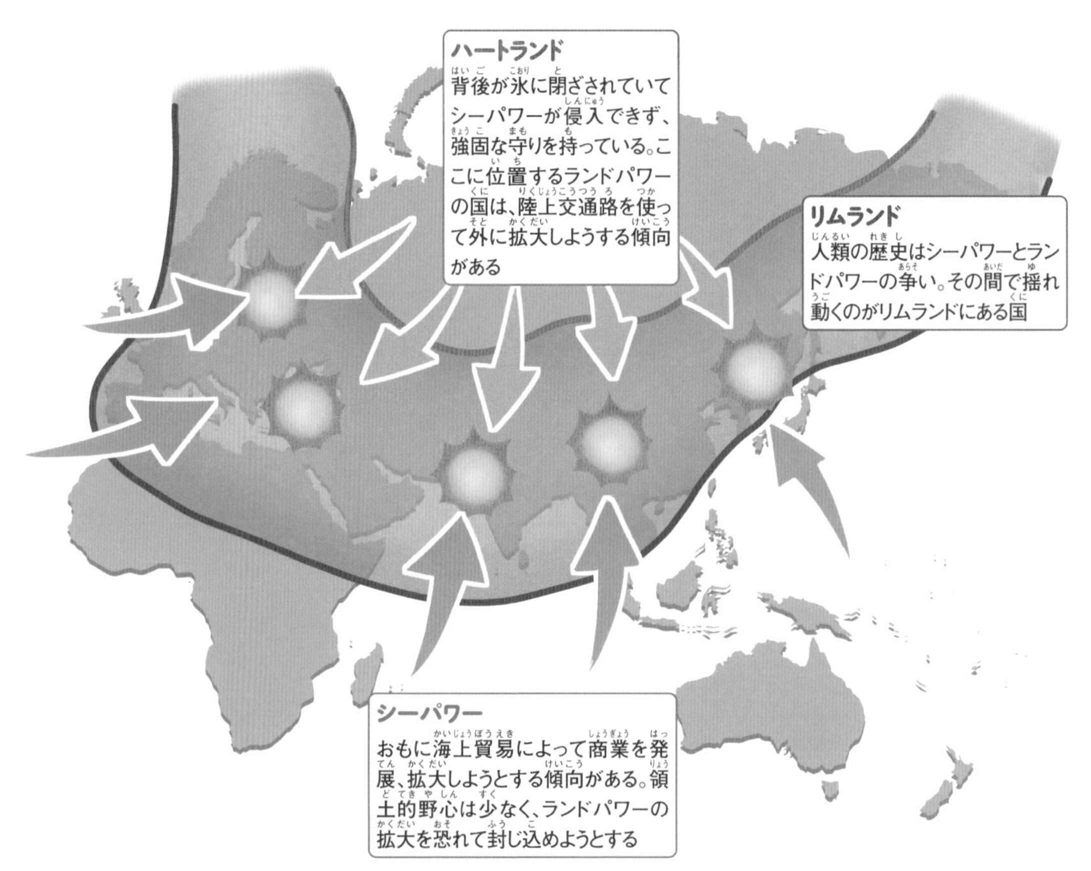
ハートランド
背後が氷に閉ざされていてシーパワーが侵入できず、強固な守りを持っている。ここに位置するランドパワーの国は、陸上交通路を使って外に拡大しようする傾向がある
リムランド
人類の歴史はシーパワーとランドパワーの争い。その間で揺れ動くのがリムランドにある国
シーパワー
おもに海上貿易によって商業を発展、拡大しようとする傾向がある。領土的野心は少なく、ランドパワーの拡大を恐れて封じ込めようとする

　現在の大国と呼ばれる国々は、多かれ少なかれこのような広い視野で見た、地理観をベースに外交政策を考えています。その際に焦点となるのが、地政学でも特に重要とされるリムランドに位置する国々です。

　リムランドはユーラシア大陸の沿岸部に位置するため、内陸のハートランドに位置する陸の勢力であるランドパワーの影響だけではなく、海の勢力であるシーパワーの影響も受けやすい地域です。必然的にこの地域で世界的な権力争いが展開されやすいのが特徴です。

　アメリカはユーラシア大陸から離れていますが、世界戦略を立てるときに、このリムランドへの対処を一番に考えています。それほど世界政治への影響が大きいのです。

リムランドの国々は大陸と海のどちらを選ぶ？

ユーラシア大陸の沿岸がリムランドです。気候がよいおかげで人口が多く、さらに周りから攻められることが多い地域です。南北朝鮮、ドイツ、フランス、ギリシャのような半島国家がまさにその典型です。

陸側のランドパワーや
海側のシーパワーから
圧力を受けて困ることが
多いんだ
Rimland
リムランドに位置する
国は、外海と内陸の
両方の大国に挟まれた
厄介な場所にあるよ

リムランドという言葉を思いついたのは、スパイクマンというオランダ出身のアメリカの地理学者です。

地政学を始めた一人であるマッキンダーは、広大で資源の多いハートランドを重視していました。それに対してスパイクマンは、世界の命運を決めるのは、人口が多くて食料も多く貿易が盛んなユーラシア大陸の沿岸部のリムランドではないかと考えました。この地域にある国は、大陸寄りと海寄りのどちらかを選ぶことを迫られていますが、両方の良いとこどりをしようとする国は両生類国家と呼ばれることもあります。

大航海時代からシーパワーとランドパワーに分かれるの？

シーパワーで資源を確保する

ユーラシア大陸の「通り道」は変化してきた

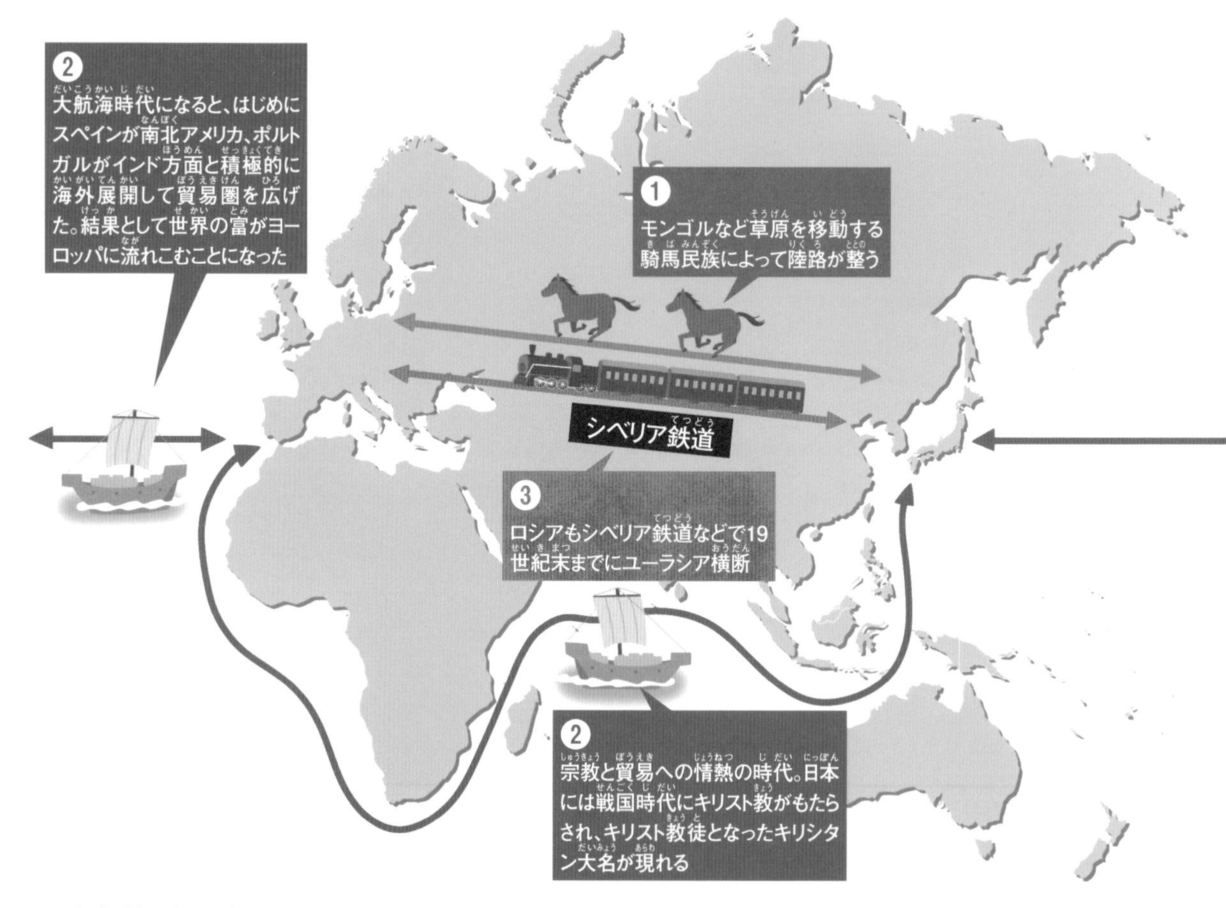

②
大航海時代になると、はじめにスペインが南北アメリカ、ポルトガルがインド方面と積極的に海外展開して貿易圏を広げた。結果として世界の富がヨーロッパに流れこむことになった
①
モンゴルなど草原を移動する騎馬民族によって陸路が整う
シベリア鉄道
③
ロシアもシベリア鉄道などで19世紀末までにユーラシア横断
②
宗教と貿易への情熱の時代。日本には戦国時代にキリスト教がもたらされ、キリスト教徒となったキリシタン大名が現れる

地政学は基本的に、大国たちが世界の中で生き残るために必要な相手国に対する戦略の指針で、いわば外交理論の一形態です。

マッキンダーがいっていたように、なぜヨーロッパやアメリカ（欧米）が世界で列強となったのでしょうか。それは資源とマーケットを結ぶ交通路が変化したことによると考えられています。これによってヨーロッパは大航海時代を迎え、世界に冠たる大国をいくつも生み出しました。

現代の地政学では、この資源とマーケットを結ぶ通り道の変化に着目し、それがいかに変化するかを注視することで、資源やエネルギーを得る方法や、それが市場に与える危険性を地政学リスクといって注視しています。

交通手段が世界を変えた！

	おもな国／ランドパワー・シーパワー／輸送手段
❶ 前コロンブス時代(1000～1500年)	モンゴル／ランドパワー／馬
❷ コロンブス時代(1500年～1900年)	ヨーロッパ列強／シーパワー／船
❸ ポストコロンブス時代(1900年～)	ロシア・ドイツ／ランドパワー／鉄道

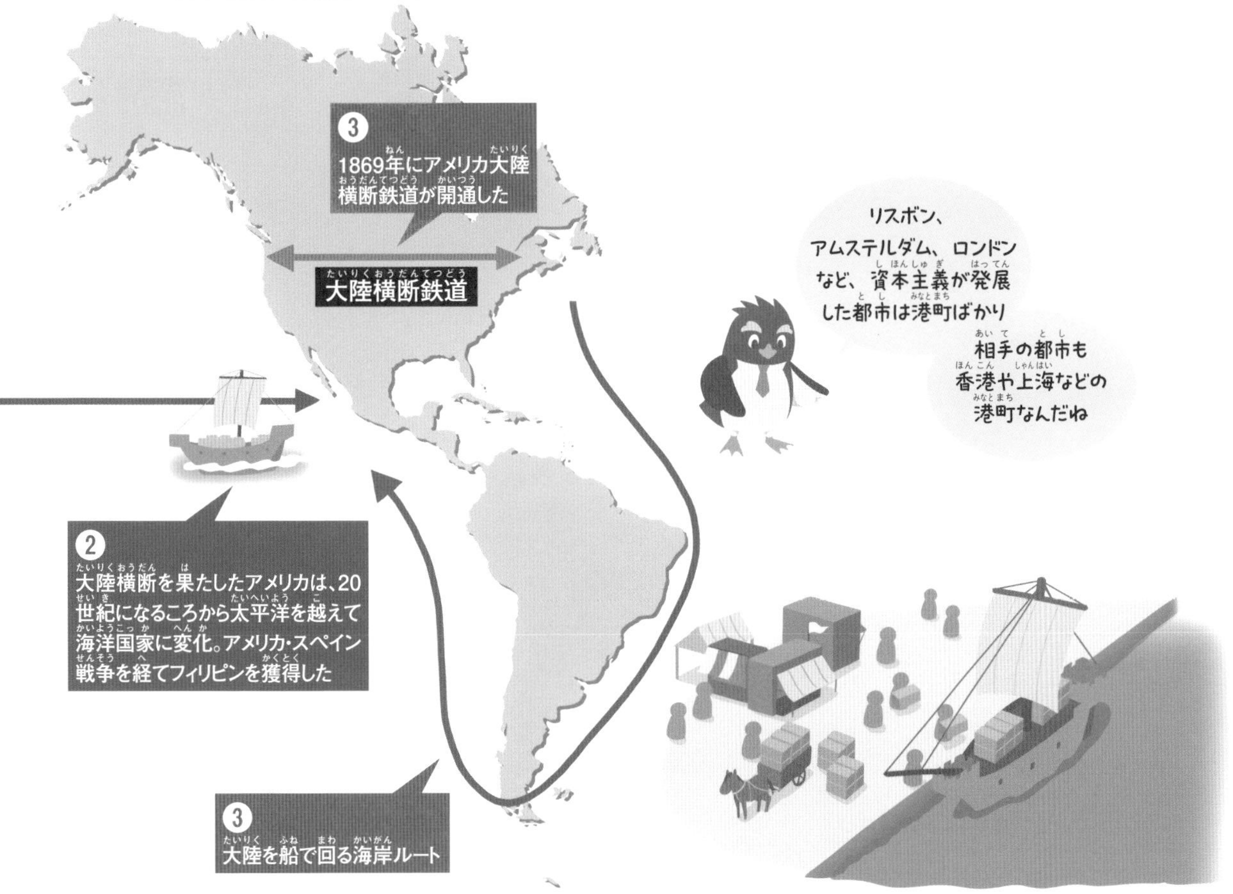

❸ 1869年にアメリカ大陸横断鉄道が開通した
大陸横断鉄道
リスボン、アムステルダム、ロンドンなど、資本主義が発展した都市は港町ばかり
相手の都市も香港や上海などの港町なんだね
❷ 大陸横断を果たしたアメリカは、20世紀になるころから太平洋を越えて海洋国家に変化。アメリカ・スペイン戦争を経てフィリピンを獲得した
❸ 大陸を船で回る海岸ルート

地政学が始まった時代、この通り道の変化をどのように捉えていたのでしょうか？

マッキンダーは、世界の歴史を大きく3つの時代としてとらえ、それぞれを「前コロンブス」「コロンブス」「ポストコロンブス」時代に分け、陸→海→陸とおもな交通手段が移りつつあると警告しました。

ただし、現状ではランドパワーの時代に移ったわけではなく、あいかわらず世界の海を支配するアメリカ海軍の力にたよるシーパワーの時代がつづいています。このことは、世界貿易のほとんどが海上を中心に行われていることからも明らかです。

世界の強国はどう変わってきたの？

強い国家は時代とともに変わっていく

イギリスに代わってアメリカが強国になる

強くて周囲の国々をリードする大国のことを覇権国というよ。国際秩序を支える役割を果たすことが多いんだ

1500 ～ 1700

十字軍で勃興したヴェネツィアを中心としたイタリアの地中海貿易や、海外に富をもとめたスペイン黄金期と呼ばれる時代

イタリア

スペイン

1820 ～ 1900
中国
イギリス
アメリカ
アメリカがモンロー宣言※1を期に西方拡大しつつ、イギリスがインドを足がかりとしてアヘン戦争を起こし、大英帝国を展開していた時代

※縦軸は、その国の実質ＧＤＰが世界のＧＤＰに占める割合の程度を表している。為替で変換した数値とは実感が異なることに注意

国際政治は移り変わるものですが、それを理解するための１つのカギが、その時代にもっとも優位な国に注目し、その国が周辺国や支配下にある国にどのような影響力を持ち、どのような秩序をつくっていたのかを知ることです。いわば国際政治でのボスのような国がどこであるかということですが、その国のことを覇権国などといったりします。

現在の私たちの生きている世界では、アメリカが国力、つまり軍事力や経済力、そして人口の規模などからナンバーワンの国であり、戦後の世界秩序を支えてきたといわれています。

ところがここ十数年の間に中国の力が強くなり、アメリカも大統領自身が「世界の警察官をやめる」と宣言をするなど、自ら覇権を手放すような姿勢を見せています。これが国際政治の不安定化をもたらしているといわれています。

※1　モンロー宣言：アメリカはヨーロッパに干渉しないが、ヨーロッパがアメリカに干渉するのにも反対、というアメリカの外交政策

強国アメリカと中国の台頭

1910～1950
（第一次・第二次世界大戦前後）
2つの世界大戦で大英帝国※2の威信が落ち、代わりに覇権がアメリカに移った時代
アメリカ
中国
イギリス
ドイツ
日本

1970～1980
（オイルショック前後）
アメリカとソ連が対立している冷戦のさなか、中東での軍事危機に端を発するオイルショックでアメリカの国力が減退。製造業で強い日本が台頭して国力で脅かす
アメリカ
ソ連
日本
ドイツ
中国
イギリス

2000～
冷戦後のアメリカの一極時代がテロとの戦争で陰りを見せる中で、中国が台頭しつつある時代
アメリカ
中国
日本
ドイツ
インド
イギリス

出典：「世界経済史概観　紀元1年―2030年」アンガス・マディソン［著］政治経済研究所［監訳］／岩波書店（2015）をもとに作成

ではその覇権はどのように移り変わってきたのでしょうか？

ここ500年ほどの歴史を見ても、実は目まぐるしく覇権が入れ替わってきたことがわかります。そしてそのような変化のときには戦争や紛争が起こることが多く、同時に世界経済やエネルギー構造に大きな変化が起こるのです。

現在はアメリカが覇権を持つため、必然的にエネルギー市場でも強い発言力を持っています。しかし、今後の状況次第では、台頭する中国やインドが世界の覇権を握り、世界のエネルギー情勢を一変させる可能性もあります。覇権は世界のエネルギー事情も激変させるのです。

※2　大英帝国：世界に多くの植民地をもっていた時代のイギリスと植民地や海外領土の総称

日本は地政学的にどんな国なの？

昔はランドパワーで今はシーパワーの国

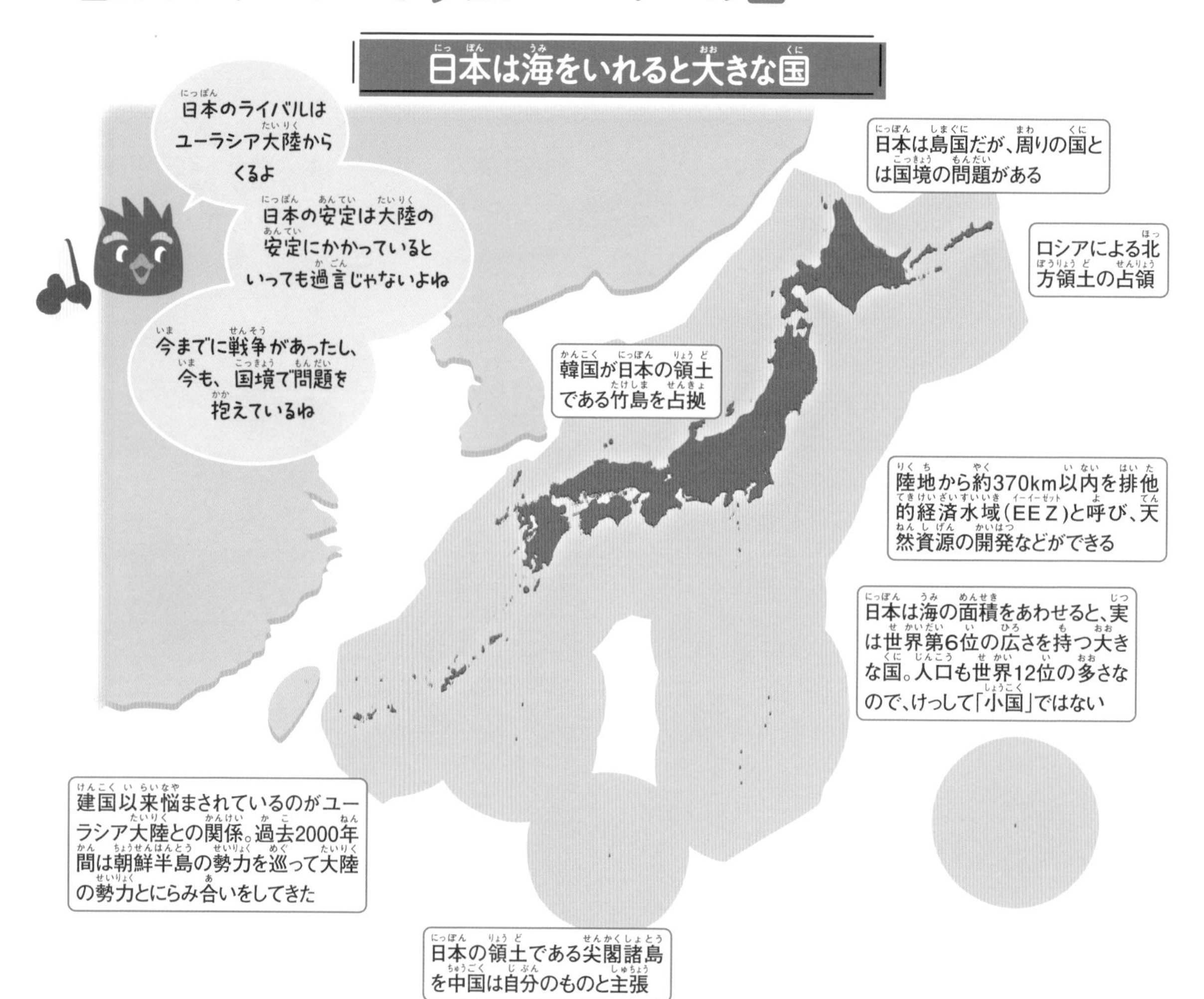

日本は海をいれると大きな国
日本のライバルはユーラシア大陸からくるよ
日本の安定は大陸の安定にかかっているといっても過言じゃないよね
今までに戦争があったし、今も、国境で問題を抱えているね
日本は島国だが、周りの国とは国境の問題がある
ロシアによる北方領土の占領
韓国が日本の領土である竹島を占拠
陸地から約370km以内を排他的経済水域(EEZ)と呼び、天然資源の開発などができる
日本は海の面積をあわせると、実は世界第6位の広さを持つ大きな国。人口も世界12位の多さなので、けっして「小国」ではない
建国以来悩まされているのがユーラシア大陸との関係。過去2000年間は朝鮮半島の勢力を巡って大陸の勢力とにらみ合いをしてきた
日本の領土である尖閣諸島を中国は自分のものと主張

地図だけ見ると日本はシーパワーと分類できそうですが、歴史を見ると必ずしもそうではありません。その典型であるイギリスや現在のアメリカとは違い、そもそも海外に展開する気持ちは弱く、農業や漁業を主体とした国内だけで争う内向きなランドパワーの時代が長く続きました。

明治維新からは海外に展開していきます。とりわけ朝鮮半島から中国大陸へ展開し、ランドパワーか、それとも南洋に向かうシーパワー国家になるかで悩むことになります。第二次世界大戦で敗戦してからは、アメリカを中心とする西側陣営に入ったことにより、典型的なシーパワー国家として発展してきました。

日本の戦いの歴史

元寇
元と高麗による上陸侵攻（元寇）を撃退。海外の侵略から日本を守る

不敗
1274年／1281年

敗北
663年

白村江の戦い
同盟国である百済を助けるために朝鮮半島に出兵するが唐と新羅の連合軍に敗退、その後、内向きになる

失敗
1592〜1593年／1597〜1598年

日清・日露戦争
イギリスとアメリカの助けを借りてロシアを倒すことで朝鮮半島に足がかりをつくる

成功
1894〜1895年／1904〜1905年

朝鮮出兵
豊臣秀吉が天下統一のあとに明の征服を狙って朝鮮半島に二度侵攻して失敗。内向きになる

勝利
1914〜1918年

敗戦
1939〜1945年

第一次世界大戦
連合国側と組んでドイツを撃破。山東半島や太平洋の島々の権益を獲得する

第二次世界大戦
すでに深入りしすぎていた中国大陸への侵攻に干渉されたことにより、アメリカと太平洋戦争を戦い地域覇権を失う

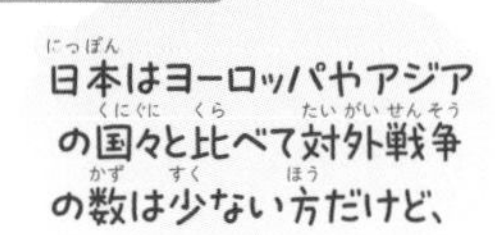
日本はヨーロッパやアジアの国々と比べて対外戦争の数は少ない方だけど、

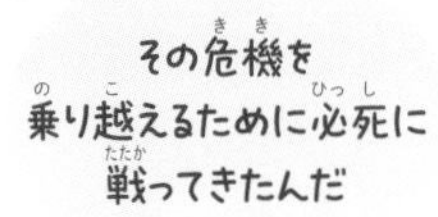
その危機を乗り越えるために必死に戦ってきたんだ

現在
日本は戦争で地域覇権を失ったが、戦後はアメリカ率いるシーパワーの一員としてソ連（現在はロシア）に対処する

「国家は戦争によってつくられる」というのは、戦争史などを専門とする西洋の学者たちの間で以前から指摘されてきました。日本も例外ではなく、国外の脅威を目の当たりにし、「日本」という国の概念がこの島国にいる人々の間に芽生えてきました。

先の大戦での敗戦で、日本はランドパワーとシーパワーの両面での拡大を断念し、アメリカのシーパワー陣営に属しました。すると本格的なシーパワー国家として海外貿易をさかんに行い、世界的な経済大国になりました。現在、その貿易体制を揺るがすような不安定な世界情勢が多く発生していて、脅威になっています。

コラム

パナマ運河とスエズ運河

世界経済の要「チョークポイント」の代表例

パナマ運河のミラフローレス閘門に出入りする船

パナマ運河は、閘門という、
水門で仕切ったドックに船を入れ、
水を出し入れして船を上げたり
下げたりして通る仕組みなんだよ

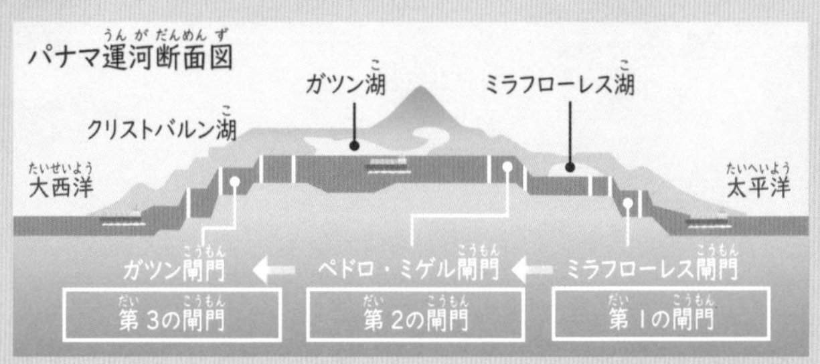

パナマ運河断面図
ガツン湖
ミラフローレス湖
クリストバルン湖
大西洋
太平洋
ガツン閘門
ペドロ・ミゲル閘門
ミラフローレス閘門
第3の閘門
第2の閘門
第1の閘門

出典：株式会社ICM／iCruise「パナマ運河の通航の仕組み」をもとに作成

世界のエネルギー情勢だけでなく、物流や政治を語る上でもはずせないのがスエズ運河とパナマ運河です。スエズは地中海とインド洋、パナマは大西洋と太平洋をショートカットする人工の運河であり、貨物船の通り道における要衝ともなっており、世界の最重要ランクに入る「チョークポイント」を構成しています。もちろんタンカーなどが通過するため、世界のエネルギー問題を語る上でも大きな影響を持つ国際的なインフラの一つといえるでしょう。

平和で経済活動がスムーズに動いている時期には、両運河ともその存在が意識されることはありません。ところが近年において、それぞれの事情で問題点が浮き彫りになっています。

第一が、いわゆる「地政学リスク」です。このリスクは安全保障問題が経済活動に悪影響を与えるという意味で使われる概念ですが、とりわけスエズ運河は、接続している紅海においてイエメンのフーシ派が眼の前を通過する船舶をミサイルやドローンで攻撃をすることにより、ほとんどの商船が喜望峰周りに航路を変えざるを得ない状況です。

第二が気候変動です。これはパナマ運河で顕著であり、エルニーニョの影響で降雨量が激減したパナパ運河の水を供給するガツン湖の水が激減しており、底が深い船が通行できなくなっているのです。すると、以前は一隻にすべて積み込めた荷物も、底が浅い二隻に積み替えて運ぶ必要が出てきます。世界のチョークポイントを構成する二大運河は、それぞれの事情で世界経済を圧迫する要因になっています。

1章

世界でエネルギーは十分にあるの？

01 世界中で使うエネルギーは増えているの？

化石燃料をたくさん使ったため CO_2 の排出量が増えた

化石燃料をたくさん使うようになった

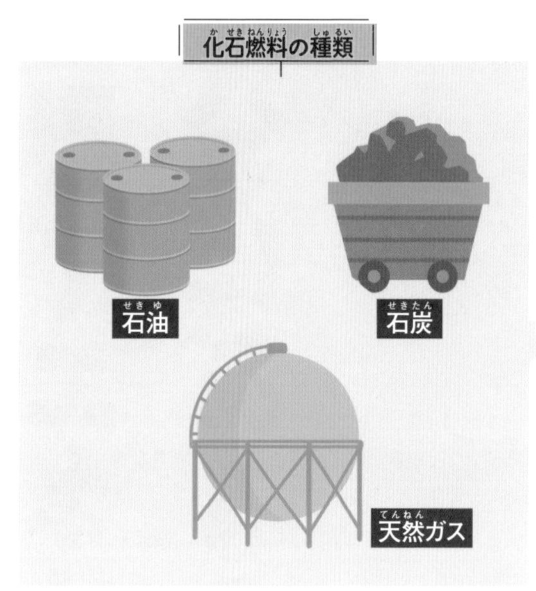

化石燃料の種類
石油
石炭
天然ガス

化石燃料の中で、石油は、昔はランプに使っていたのが、自動車に使うようになって急に使う量が増えたんだ

バレルってなんだろう？

もとの意味は石油を運んでいた樽のこと。石油の容積を表すのに使います。1バレルは、約159リットル。原油の値段は、1バレルあたり何ドル（US$）の単位で表すのが習慣になっています。

昔は、石油を樽に入れて運んでいた

世界でエネルギーを使う量は、1965年から年間の平均で2.3%ずつ増加してきました。10年ごとに30%以上、増えたことになります。特に、最近になってアジア太平洋地域で大きく増加してきました。その中でも中国の増え方が目立ちます。

エネルギーの中でも石油、天然ガス、石炭などの化石燃料がおおよそ80%を占めており、ほかに水力、再生可能エネルギー、原子力が増えてきました。昔は、石油は自動車の燃料やランプに使われていましたが、発電、鉄やプラスチックの製造、飛行機や船の燃料にも使われ、生産量も増えたのです。アジアやアフリカの国では、今後、エネルギーをもっと使うようになるでしょう。

地球温暖化とCO_2の関係は？

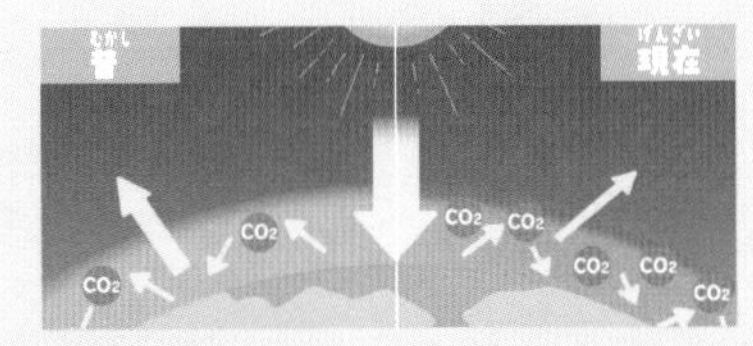
昔
現在
CO_2
CO_2
CO_2
CO_2
CO_2
CO_2
CO_2

石油や天然ガスを使ってCO_2を出すと大気中のCO_2が増えます。そのため、太陽からの光を受けて地球から放射される赤外線を、地球の回りで再放射する量が増えます。その結果、宇宙に逃げる分が減り、地球の温度が上がるのです。

この効果は、CO_2以外のメタンなどのガスでも同じことがおきます。そのようなガスを温室効果ガス（GHG）と呼びます。

CO_2などのGHGを出す量が増え、地球の温度が上がりました。その結果、異常気象や自然災害が増えています。国同士の争いの原因になるかもしれません。

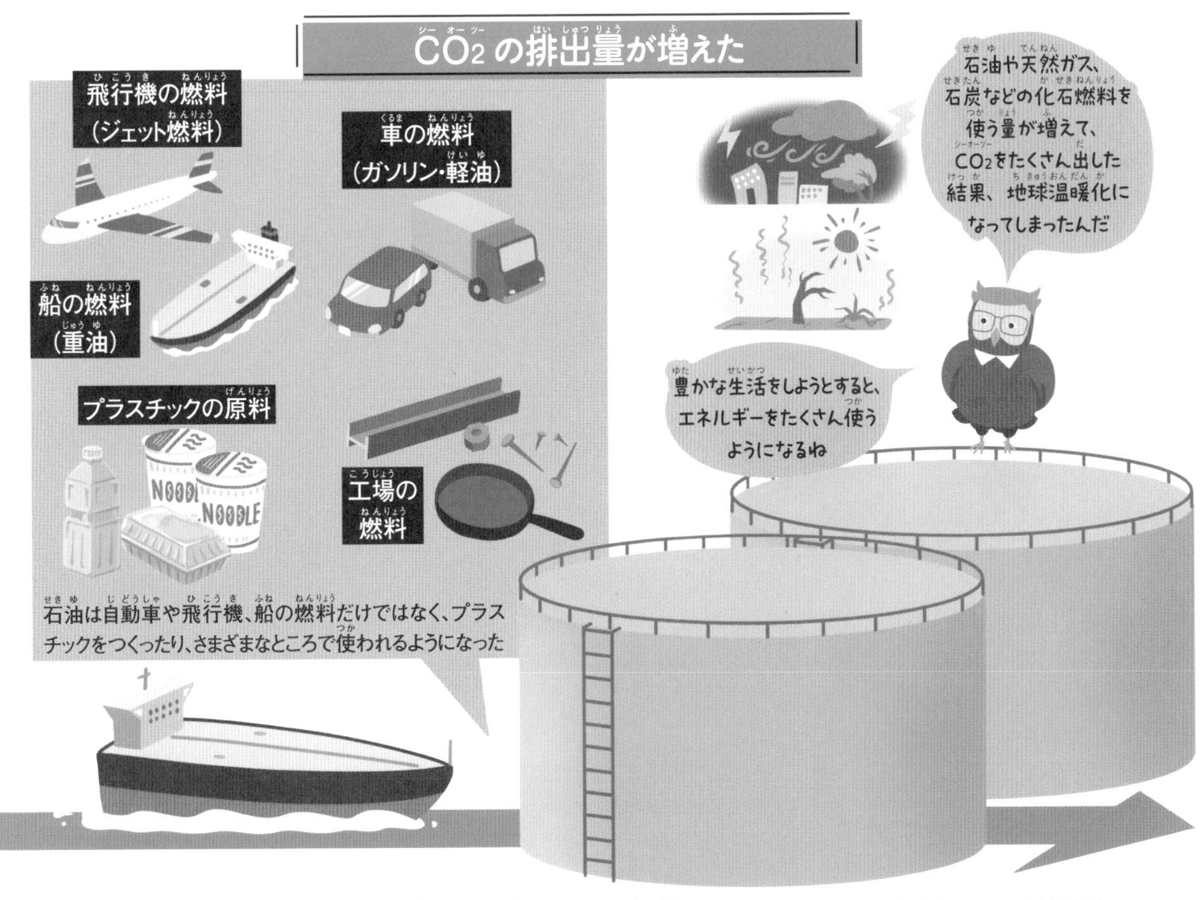
CO_2の排出量が増えた
飛行機の燃料
（ジェット燃料）
車の燃料
（ガソリン・軽油）
船の燃料
（重油）
プラスチックの原料
NOODLE
NOODLE
工場の
燃料
石油は自動車や飛行機、船の燃料だけではなく、プラスチックをつくったり、さまざまなところで使われるようになった
石油や天然ガス、石炭などの化石燃料を使う量が増えて、CO_2をたくさん出した結果、地球温暖化になってしまったんだ
豊かな生活をしようとすると、エネルギーをたくさん使うようになるね

石油、石炭、天然ガスなどの化石燃料を使うとCO_2を排出し、その量も着実に増えてきて、地球温暖化のおもな要因となっているのです。そこで、化石燃料を使う量を減らし、水力、太陽光や風力で発電した再生可能エネルギーを増やしていこうとしています。原子力も重要です。とはいえ、まだまだ化石燃料は必要です。

日本でも、スマホなどの使用による情報通信だけではなく、AIの使用が盛んになり、電気自動車（EV）が増加することで、もっと、エネルギー、特に電気を使う量は増えるでしょう。

02 第二次世界大戦はどうしておきたの？

石油を求めて戦争に突入した

日本は石油を求めてアメリカなどと戦争になった

❶日中戦争
アメリカと戦争をする前から、日本は中国を攻めて戦争になっていた
❷アメリカの石油禁輸
それに対してアメリカは、日本に石油を輸出しないといってきた。その結果、アメリカとも戦争になった
第二次世界大戦は、日本にとっては石油によって引き起こされた戦争ともいえるんだ
❸インドネシアへ進出
原油を求めて軍隊が南方（インドネシアなど）に進出し、スマトラ島のパレンバンにある製油所を占拠した。しかし、輸送するタンカーがアメリカ軍の攻撃を受け、日本へのシーレーンを確保できず、大量の石油を日本に運ぶことができなかった

第二次世界大戦前の日本は、今に比べて原油を使う量は1／50程度とわずかでしたが、その80～90％をアメリカから輸入していました。当時は、中東では原油の生産量が少なかったのです。

1937年に始まった日本と中国の戦争を契機に、アメリカは日本への石油の輸出を禁止しました。危機感を感じた日本はハワイの真珠湾に空母などによる連合艦隊で奇襲をかけて、1941年からアメリカとも戦争になりました。

日本は、現在のインドネシアなどに石油を求めて軍隊を送って進出し、そこを支配していたオランダなどとも戦争になりました。

戦後の日本は？

戦後、日本の各地に石油コンビナートができ、原油を多量に輸入するようになりました。

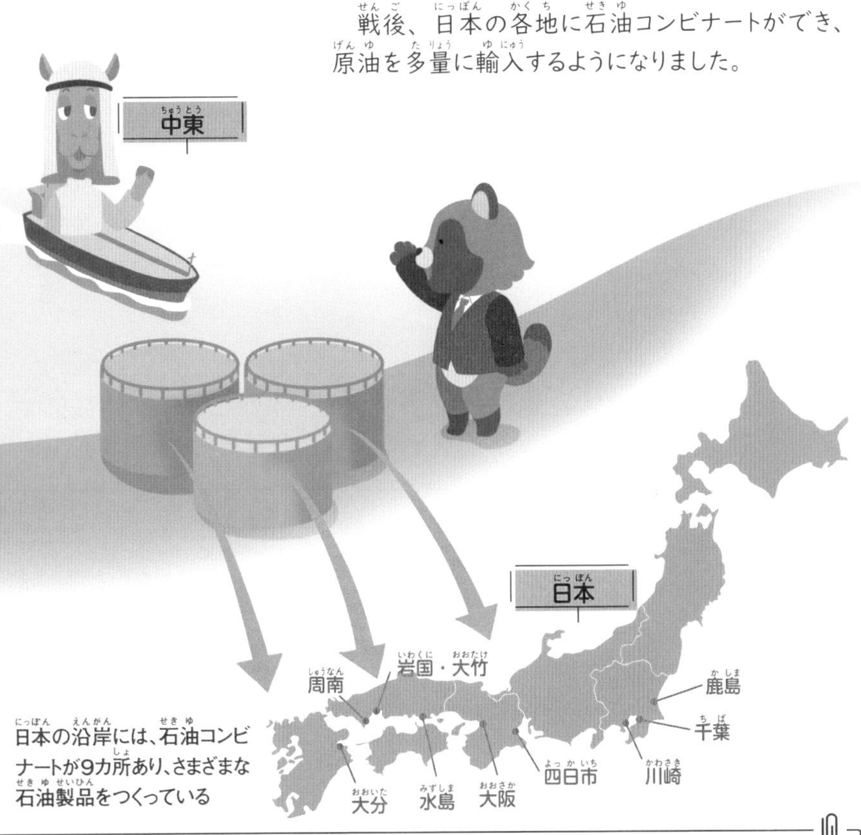
第二次世界大戦後には、中東では大量の原油が生産されるようになり、日本は大型のタンカーで原油を輸入することになったのさ
中東
日本
岩国・大竹
周南
鹿島
千葉
四日市
川崎
大分
水島
大阪
日本の沿岸には、石油コンビナートが9カ所あり、さまざまな石油製品をつくっている

石油コンビナートってなんだろう？

石油会社では、原油を海外から運んできて、蒸留という方法でガソリン、灯油、軽油、重油などに分けます。それを自動車用のガソリン、航空機用のジェット燃料、暖房用の灯油など目的に応じた製品の油として出荷します。

さらに、石油化学会社では、化学工業の原料となるエチレンなどをつくり、そこから様々なプラスチックなどの化学製品をつくります。これらの会社はお互いにパイプでつながっていて、効率よく生産ができるのです。

再エネをうまく使って、カーボンニュートラルなコンビナートをめざしています。

水島工業地帯（水島コンビナート）全景

この戦争に負けて、日本は大きな代償を払いました。ドイツも同じです。このように、石油が得られなくなることは、国を支えていくことができなくなることであり、戦争にもなるのです。

第二次世界大戦後、中東での原油の開発、生産が進み、アメリカも大量に原油を輸入するようになりました。日本も、大型のタンカーで中東から原油を運び、日本の沿岸に製油所を建設して、ガソリン、灯軽油、化学原料、重油などを製造するようになりました。

03 オイルショックのときになにがおきたの？

原油の値段が急に上がって世界の経済が混乱した

なぜオイルショックがおきたの？

産油国は、欧米の大手石油会社がもうけ過ぎていると不満があったことが原因で、原油を値上げしたんだね
SUGAR
$
¥
アメリカ・イギリス
世界
中東

OPECってなんだろう？

英語の頭文字による略で、日本語では、石油輸出国機構といいます。石油を産出している国が、欧米の大手石油会社から利益を守るために団結した組織で、当初は中東を中心に5カ国、現在は、12カ国が入っています。その後、OPEC以外の産油国が増えたので、OPECプラスとして、さらにロシアなど10カ国を追加した組織ができました。

石油の利用が増えた1970年代にオイルショック（石油危機）が2回ありました。1回目は、50年以上前の1973年に、イスラエルとアラブ諸国の間で戦争が始まりました。それを契機に、中東などの原油を輸出している国の集まりであるOPECが、原油の価格を1バレル当たり3US$であったのを5US$に、その後、12US$に引き上げたことで世界の経済が大混乱しました。日本では、1974年には、物価が大幅に上がり、生活が大混乱したのです。

2回目は、イランで革命が起きて原油の生産が止まってしまったことによります。

●アラブ諸国（4章10節参照）

世界はどうした？

IEAという国際機関をつくったり、先進国で石油備蓄を進めました。

IEA
原油

苫小牧東部国家石油備蓄基地全景
写真提供: 独立行政法人エネルギー・金属鉱物資源機構（JOGMEC）

IEAってなんだろう？

石油を輸入する国、31カ国が中心となって国際エネルギー機関（IEA）という国際機関をつくり、世界のエネルギーの情報をやり取りしたり、協力することにしました。

IEAに加盟するには、原油の輸入量の90日分を貯めるタンクを建設して貯めることが求められます。戦争などで原油が不足したときには、IEAが備蓄していた原油を使えるようにすることを求めています。

日本はどうした？

日本は、オイルショック後、石油備蓄だけではなく、サンシャイン計画で石油に替わるエネルギーの開発を進めました。

手に入る原油が減っても大丈夫なように、新たな技術を開発したんだ

石炭液化・ガス化
石炭から石油やガスをつくる

地熱利用
地球内部の熱を利用する

太陽熱発電
太陽の光を集めて熱にして発電する

水素エネルギー
水力発電などで得られた電気で水素をつくり利用する。この技術は今も役立っている

そこで、経済の混乱を防ぐように、世界では、石油を輸入する国が中心となってIEAという国際機関をつくり、世界のエネルギーの情報をやり取りしたり、協力することにしました。原油などを大型タンクに貯めておいて不足するときに使う石油備蓄もその一つです。日本もIEAに参加し備蓄を進めるとともに、中東以外の国からも輸入するようにしました。現在は約250日分の原油を備蓄しています。

また、日本では、1974年から国が資金を出して、石炭液化・ガス化、地熱利用、太陽熱発電、水素エネルギーなど石油の替わりになるエネルギーを開発するサンシャイン計画を始めました。また、これを契機に、石炭を輸入して発電する石炭火力発電や原子力発電を増やしてきました。

04 国が争うとエネルギーはどうなるの？

エネルギーの供給が止まり、世の中が大混乱する

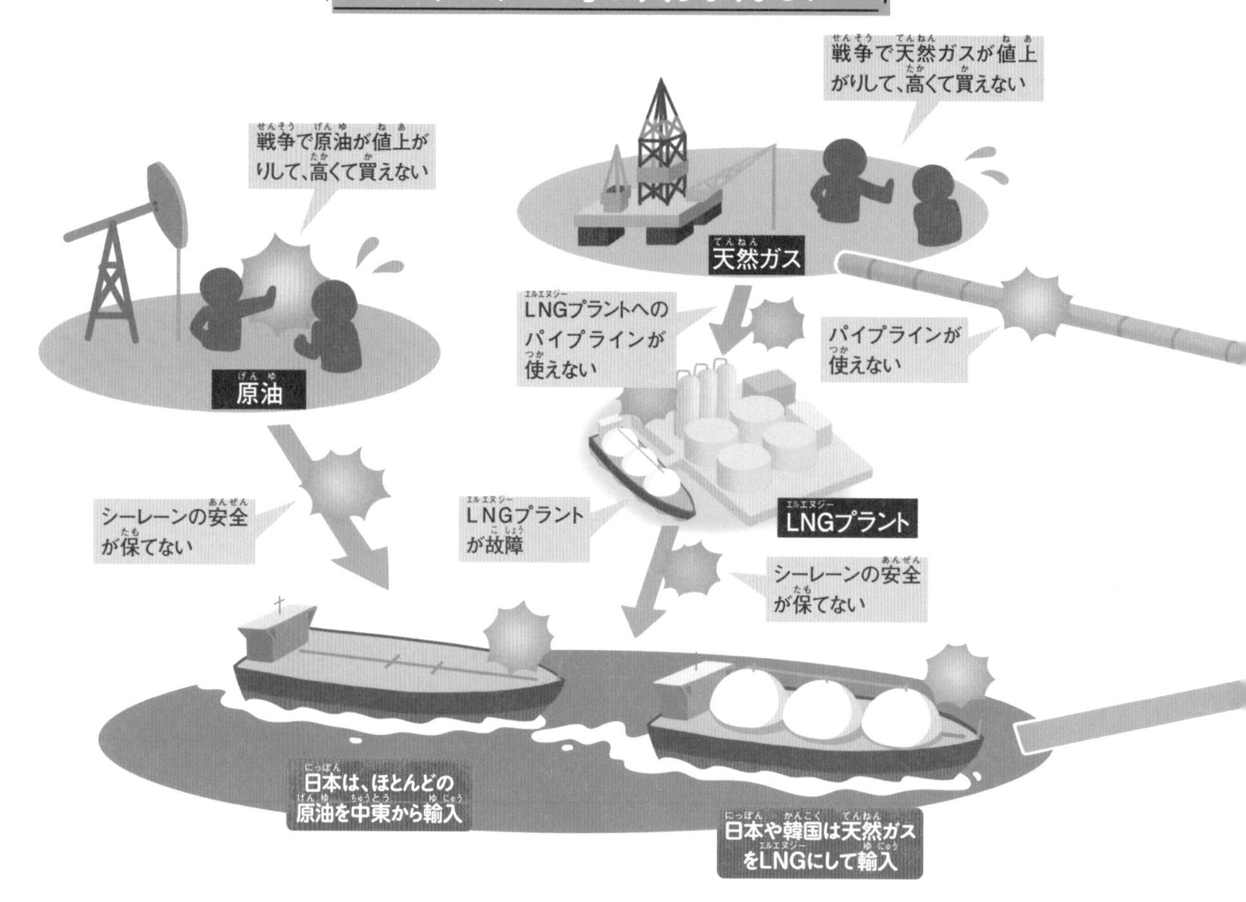

エネルギーが手に入らなくなる？
戦争で天然ガスが値上がりして、高くて買えない
戦争で原油が値上がりして、高くて買えない
天然ガス
LNGプラントへのパイプラインが使えない
パイプラインが使えない
原油
シーレーンの安全が保てない
LNGプラントが故障
LNGプラント
シーレーンの安全が保てない
日本は、ほとんどの原油を中東から輸入
日本や韓国は天然ガスをLNGにして輸入

2022年 2月に、ロシアがウクライナを攻撃しました。それを契機に、欧米や日本は、ロシアから原油などのエネルギーを買うのを制限しました。その結果、原油と天然ガスの値段が上がりました。イスラエルとパレスチナの争いでも、エネルギーを得る上での不安が増しました。

原油は、お金を出せば原油を生産する国から買うことができますが、天然ガスはパイプラインで結ばれている国から買うか、船で輸送するLNGを買うほかありません。しかも、LNGを輸入するには、特別の受け入れ基地が必要なので、すぐには輸入できません。そのため、ヨーロッパでは天然ガスが不足して、天然ガスの値段が大きく上がりました。

●イスラエル・パレスチナ(4章10節参照)

エネルギーの値段はどうなるの？

エネルギー自給率ってなんだろう？

国内で使う一次エネルギーを国内で得ている割合。国内で生産される再エネや原子力発電は自給率に含まれます。原子力は燃料を数年間使うことができますし、国内に燃料を保管してあるからです。

オーストラリアやアメリカは100％を超えています。一方、日本は、13％（2023年度）とヨーロッパの国々や韓国より大幅に低く、非常時にエネルギーを確実に得られるか不安です。

日本の事情

- 原油や天然ガスの値段が高く、お金がかかるけれど買うしかない
- 必要な量を得られない
- LNGを貯蔵するタンクが足りなくなる
- 液体のLNGはタンクに入れておくとだんだんとガスになるので、原油のように何カ月も貯めておけない

そうなると…

値段が上がる

日本国内のタンク

日本に運んできても、タンクに受入れができない

戦争や事故で、生産量が下がったり、いつものように運べなくなると、原油や天然ガスの値段が上がり、自動車のガソリンが高くなるだけではなく、船の燃料や化学工場の原料も高くなるので大変

お1人様 ●●L まで

輸入した原油を、ガソリンや灯油、軽油などに分けたものが石油と呼ばれている

LNGの値段が上がると、電気代や都市ガス代が上がるよ

このように、戦争をしている国だけではなく、その周りの国にとっても、エネルギーを得るのが難しくなり、世の中が混乱するのです。ヨーロッパのように、国どうしでエネルギーのやり取りができても大変ですが、日本のような島国では、さらに十分なエネルギーを得ることができなくなる可能性があります。

日本は、オイルショックのあと、さまざまな国から原油を輸入するように努力しましたが、今も原油の90％以上を中東の国々から輸入しています。

コラム

セブン・シスターズってなんだろう？

スーパーメジャー6社になった石油会社

1862年ごろのペンシルバニア州での原油採掘現場

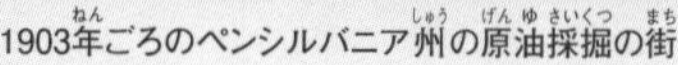
1903年ごろのペンシルバニア州の原油採掘の街

セブン・シスターズは世界の
原油市場に大きな影響を
およぼしているんだ
日本は、安全のため、さまざまな
国から原油を輸入しようとしているよ

石油の歴史は、1859年にアメリカの5大湖の一つ、エリー湖南側のペンシルバニア州タイタスビル近くでの採掘にはじまります。その後、多くの会社が原油採掘に乗り出した中で、ロックフェラーは1865年に石油精製会社の経営権を獲得し、のちのスタンダードオイルが生まれました。アメリカでの同社のシェアは90%にもなり、さらに生産量が急増しました。1911年、反トラスト法が制定されて、スタンダードオイルは地域ごとの会社に分割されました。

第一次世界大戦後、中東を支配していたオスマン帝国は敗戦国となり解体されました。イギリスとフランスは大戦中からオスマン帝国を分割することを秘密裏に交渉し、秘密協定であるサイクス・ピコ協定を結び、石油の利権を獲得しました。

スタンダードオイルが分割されてできた各社は、各国政府から利権を獲得しました。イギリス、オランダ、フランスの企業とともに、7社がほぼ独占的に石油の取り引きを行うようになり、セブン・シスターズと呼ばれるようになりました。

1970年代には、産油国は石油産業を国有化し、7社の権益は制限されました。そして、再編を経て次の6社がスーパーメジャーと呼ばれるようになりました。

エクソンモービル	アメリカ
シェル	イギリス
トタルエナジーズ	フランス
BP	イギリス
シェブロン	アメリカ
コノコフィリップス	アメリカ

一方、国有化した産油国の石油会社の中でも、大きくなったサウジアラビアのサウジアラムコなど国営大手7社を新セブン・シスターズと呼んでいます。

2章

エネルギーはどうやってつくられて使われるの？

01 エネルギーは時代とともに変わっているの？

化石燃料から再生可能エネルギーに、そして電力へ

木材から化石燃料へ

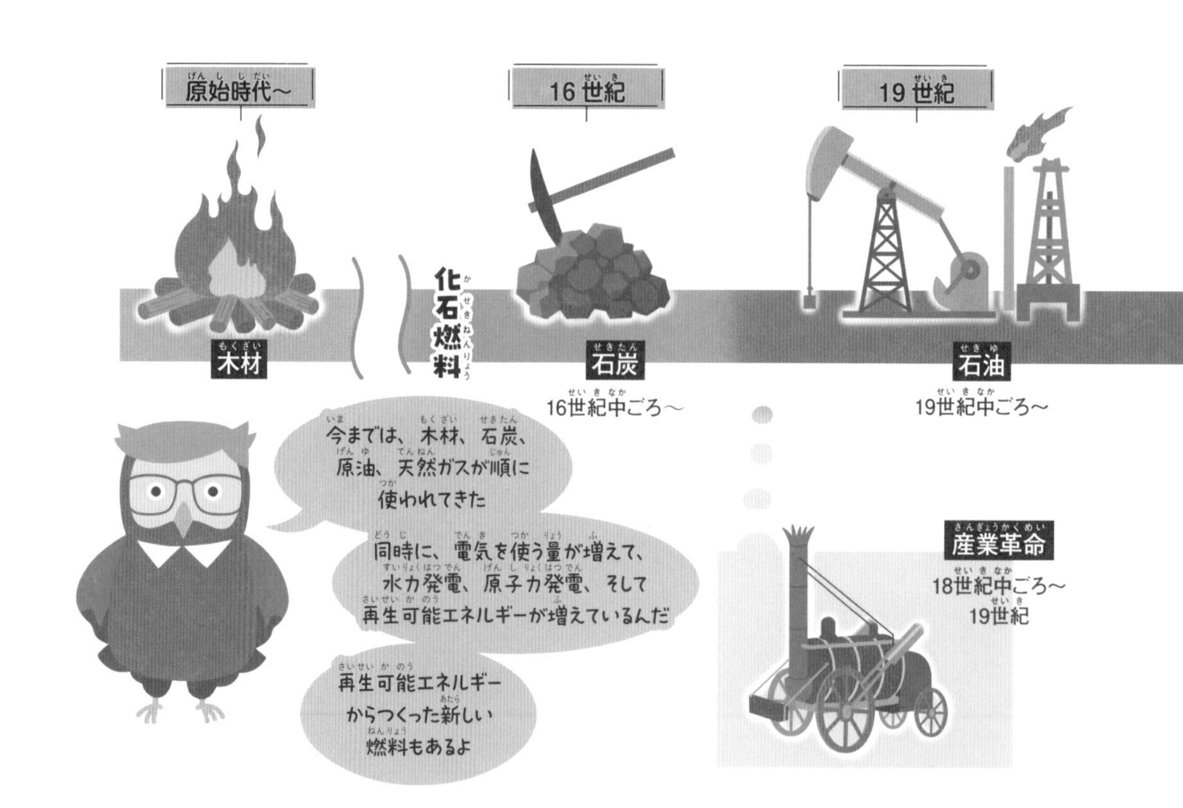

原始時代〜
16世紀
19世紀
化石燃料
木材
石炭
16世紀中ごろ〜
石油
19世紀中ごろ〜
今までは、木材、石炭、原油、天然ガスが順に使われてきた
同時に、電気を使う量が増えて、水力発電、原子力発電、そして再生可能エネルギーが増えているんだ
再生可能エネルギーからつくった新しい燃料もあるよ
産業革命
18世紀中ごろ〜19世紀

原始時代から人間は木を燃料に使っていました。その後、石炭を使い、19世紀中ごろから石油を使いはじめました。そして、より使いやすいエネルギーを求めて天然ガスを利用しはじめました。石炭、石油、天然ガスは、昔の植物やプランクトンが長い年月をかけてできた化石のようなものなので、化石燃料と呼ばれ、自然界に存在しているので一次エネルギーです。これら化石燃料は、使うと二酸化炭素（CO_2）を出し、地球温暖化の原因になります。

一方、化石燃料は、使うのに便利ですが、生産される地域が限られ、それを手に入れるために争いがありました。資源がある場所や海外から運んでくるルートは地政学的に重要です。

●一次エネルギー（0章1節参照）

再生可能エネルギーの電力が増える

エネルギー使用量の推移

日本のエネルギーを使う量は、20世紀後半に急激に増えました。そのほとんどは化石燃料です。

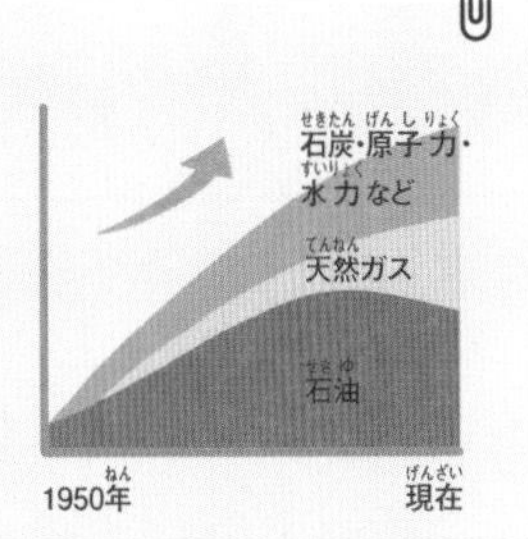

石炭・原子力・水力など
天然ガス
石油
1950年
現在

水力

20世紀

火力

21世紀

原子力

再生可能エネルギー

電力

シェールオイル
シェールガス
21世紀〜

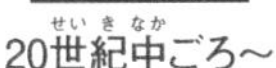
天然ガス
20世紀中ごろ〜

バイオマス

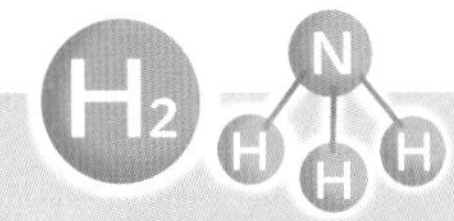

H2
N
H
H
H

水素・アンモニア

大気汚染
20世紀〜21世紀

バイオマスってなんだろう？

再生が可能な生物をもとにしたエネルギーや物質のことです。太陽のエネルギーを使って水とCO_2から生物の光合成によってできたもので、燃やして出るCO_2は、つくられたときに使ったCO_2と同じ量なので、カーボンニュートラルになります。木材、農業の廃棄物、エネルギーのために栽培された植物、生ごみ、紙、下水汚泥、ふん尿、海草などです。

エネルギーを使うには、燃料を直接使うだけではなく、電気にして使う割合が増えています。化石燃料を燃やして発電して電気をつくるだけではなく、発電の際にCO_2を発生しない水力発電や原子力発電もあります。そして、最近では、大気中のCO_2の上昇を抑えるために、太陽光発電や風力発電が急速に増えているのです。この電力から水素などの新しい燃料をつくれます。

また、昔のように木材などの動植物をエネルギーとしても使います。その場合、植物はCO_2を吸収して成長するので、燃やしてもCO_2を出したことにならないからです。

02 電気はどうやってつくるの？

これからは火力発電ではなく再生可能エネルギー

火力発電や原子力発電で電気をつくる

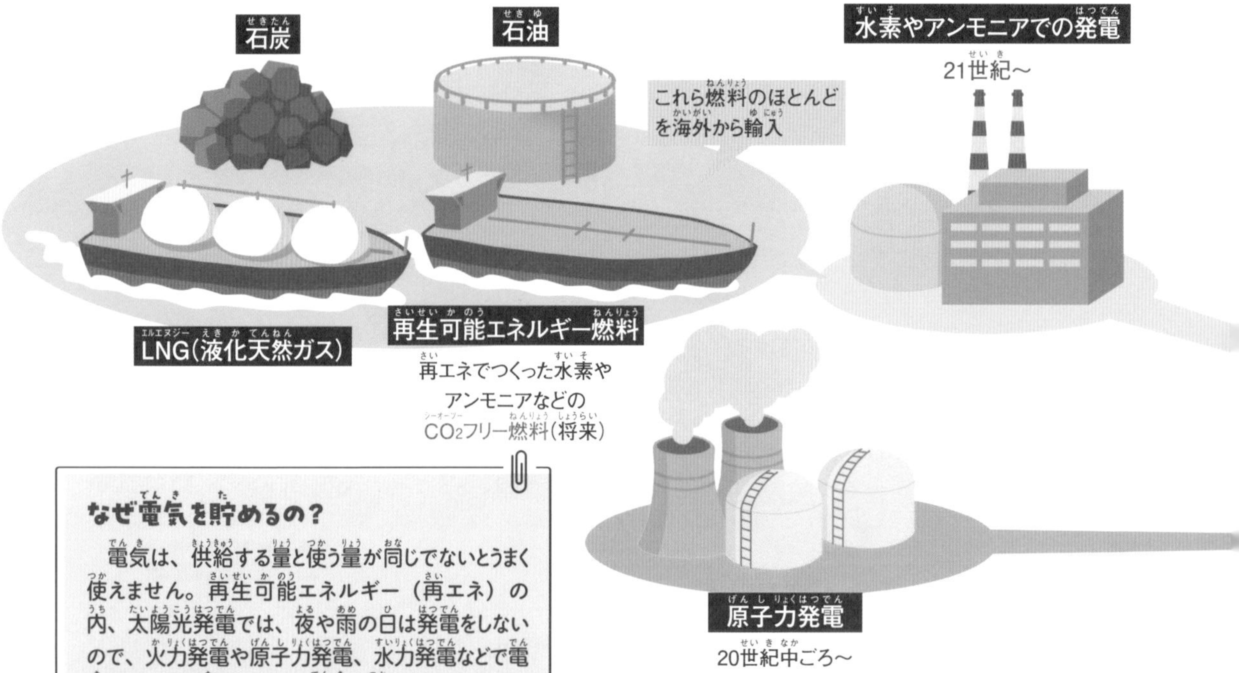

石炭

石油

これら燃料のほとんどを海外から輸入

LNG(液化天然ガス)

再生可能エネルギー燃料

再エネでつくった水素やアンモニアなどのCO_2フリー燃料(将来)

火力発電

19世紀後半～

水素やアンモニアでの発電

21世紀～

原子力発電

20世紀中ごろ～

なぜ電気を貯めるの？

電気は、供給する量と使う量が同じでないとうまく使えません。再生可能エネルギー（再エネ）の内、太陽光発電では、夜や雨の日は発電をしないので、火力発電や原子力発電、水力発電などで電気をつくるか、貯めておいた電気を使うことになります。

一方、発電し過ぎたときには、電気を貯める蓄電池などがないと無駄になってしまいます。

また、電気を貯めておく蓄電池や揚水発電にはお金がかかります。再エネを増やすときには、電気を貯めることもあわせて考えておかねばなりません。

電気というとエジソンを思い浮かべる人が多いのではないでしょうか。発明王エジソンは、長く使える電球をつくり、さらに電灯会社を設立して電気事業をはじめたのです。

19世紀後半に、電気をつくる発電機が発明され、その直後に、電気で回すモーターが発明されました。その後、化石燃料を燃やしてつくった高温の蒸気でタービンを回して発電する火力発電や、高いところにある水を低いところに落として水車を回して発電する水力発電が増えました。また、20世紀中ごろからは核分裂のときの高温の熱で蒸気をつくって発電する原子力発電が登場しました。

●揚水発電（2章9節参照）／●CO_2フリー燃料（5章5節参照）

これからは再生可能エネルギーの時代

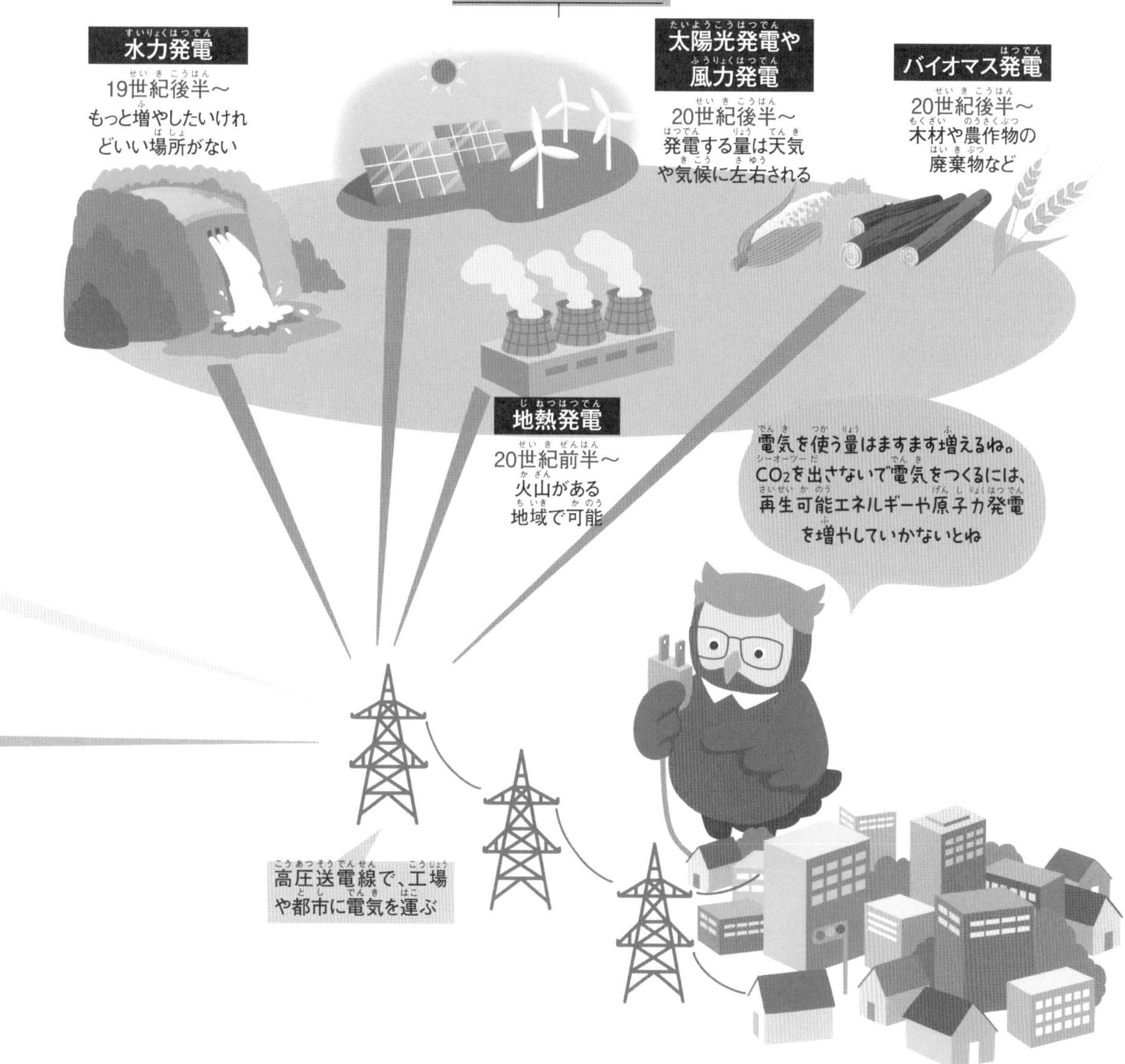
再生可能エネルギー
水力発電
19世紀後半〜
もっと増やしたいけれどいい場所がない
太陽光発電や風力発電
20世紀後半〜
発電する量は天気や気候に左右される
バイオマス発電
20世紀後半〜
木材や農作物の廃棄物など
地熱発電
20世紀前半〜
火山がある地域で可能
電気を使う量はますます増えるね。CO_2を出さないで電気をつくるには、再生可能エネルギーや原子力発電を増やしていかないとね
高圧送電線で、工場や都市に電気を運ぶ

電気自動車（EV）が普及し、社会のデジタル化が進みデーターセンターが増えて、電気の使用量はますます増えるでしょう。CO_2が出ない水力発電、太陽光発電、風力発電、地熱発電、バイオマス発電などの再生可能エネルギー（再エネ）だけではなく、発電量をある程度調整できる原子力発電や、水素やアンモニアを燃料とした火力発電も必要です。そこで使う燃料を、海外の再エネでつくって輸入することになるでしょう。

それでも、日本では、海外から輸入する化石燃料を使う割合が下がると、地政学的リスクが少し下がるのでちょっと安心です。

03

石炭はどうやって掘るの？

海外では露天掘りで安く掘れるところがある

石炭はどうやってできたの？

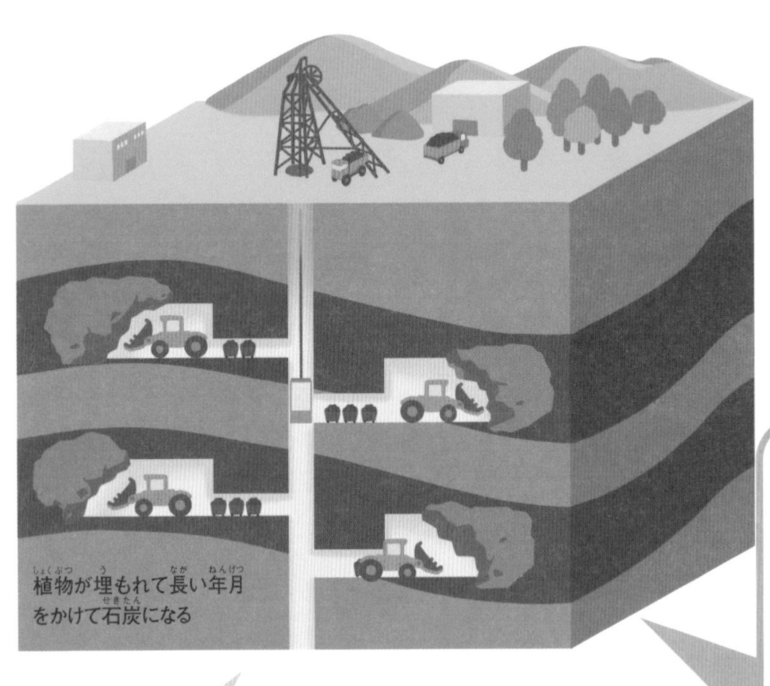
植物が埋もれて長い年月
をかけて石炭になる

18世紀後半、産業革命で石炭が大量に使われはじめた

石炭は、アメリカ、ロシア、オーストラリア、
中国、ヨーロッパ、インドにたくさんある

オーストラリアには、表面の土を除いて、その下の石炭を掘る露天掘りで石炭を生産できる炭鉱が多数ある

オーストラリア、ビクトリア州の露天掘りの炭鉱
（小野崎撮影）

石炭は「燃える石」とも呼ばれ、古代ギリシャでは紀元前から使われていました。16世紀中ごろには、家庭用、工業用の燃料として幅広く使われました。石炭は木材に比べて大きな熱量を持ち、さらに、豊富に得ることができます。18世紀には、イギリスで蒸気機関が実用化されて大量に使われるようになりました。これが産業革命です。

石炭は、古代の植物が地中に埋もれ、数千万から数億年をかけてできたものなので、世界の多くの場所にあります。地表に近いもの、地下深くて掘るのが大変なもの、植物が埋まってから経った年数が長いものや短い石炭があり、品質も異なります。日本では地下深くにあり、掘るのに手間がかかるので、今は掘っていません。

石炭はなにに使うの？

石炭の運搬

日本などの石炭を使う国に運ぶ

工場

工場でガス化して化学品をつくる。中国では多く使われている

火力発電所

火力発電の燃料

製鉄所

鉄をつくるときに使うのは原料炭

原料炭

鉄をつくるには、鉄鉱石から酸素を取り除く。その際に、昔は、木を使っていたが足りなくなり、その後、石炭を使いはじめた。溶鉱炉という装置に、石炭を蒸し焼きにしてつくった炭素の塊であるコークスを入れて鉄をつくる。そのとき、コークスの塊をうまくつくるためにつかう石炭を原料炭という。
将来は、CO_2を出さないように、石炭の替わりに水素を使おうとしている

昔、日本でも石炭が採れたけれど、地下に深く穴を掘らないと採れないので大変だったんだ
オーストラリアでは表面の土をどけるだけで石炭が出てくるので、手早くかんたんに採れるんだよ

石炭は固体なので扱いづらく、家庭では使わなくなりました。しかし、1970年代のオイルショックのあとからは、火力発電で輸入した石炭を多く使うようになりました。現在は、多くは火力発電所と鉄をつくる製鉄所で使われています。また、中国では、石炭を高温でガスにして化学品をつくることも行われています。

日本は、70％くらいをオーストラリアから、次にインドネシアから輸入しています。一方で、石炭は、燃やしたときにLNGの約2倍のCO_2が出るので、先進国では使う量を減らしています。しかし、まだまだ世界では重要なエネルギーです。

●オイルショック（1章3節参照）

石油はどこにあるの？

地下の地層が波状になっているところにある

原油はどうやってできたの？

海底の下の油を掘るには、石油プラットフォームあるいはリグと呼ばれる海上の設備を使う。海の上から井戸を掘り、その後、原油を生産する
中東に原油がたくさんあるのは、地下に波状の地層があり原油が貯まりやすいからなんだ
生物の死骸などが溜まり、化学変化して原油となる。波状の地層の上側に油を通しづらい地層があると、液体の原油が貯まりやすい

原油は、5000万年から1億年以上前に、プランクトンなどの生物の死骸が海底や湖底に貯まり、地下の熱と圧力により化学変化がおきてできたものといわれています。

石炭とは異なり、原油は液体なので、地下の地層が波状で、なおかつ、波状の上側が蓋をした形になっている場所にだんだんと貯まってきます。特別な機械を使って、地上からこのような形状の地層を探します。そこに原油が貯まっているかどうかは、試しに穴を開けて原油が出てくるかやってみなければわかりません。

原油と石油の違いは？

地下にある油を取り出したものを原油と呼びます。原油はそのままでは使えません。製油所でガソリンや化学原料、重油などに分けたものをまとめて石油といいます。

原油は世界にどれだけあるの？

原油はあと「40～50年分しかない」といわれてきました。この年数は、調査をしてわかった量を現在の使っている量で割り算した値です。

CO_2を減らすために、今後、原油の使用量は減るので、この年数はあまり意味がありません。

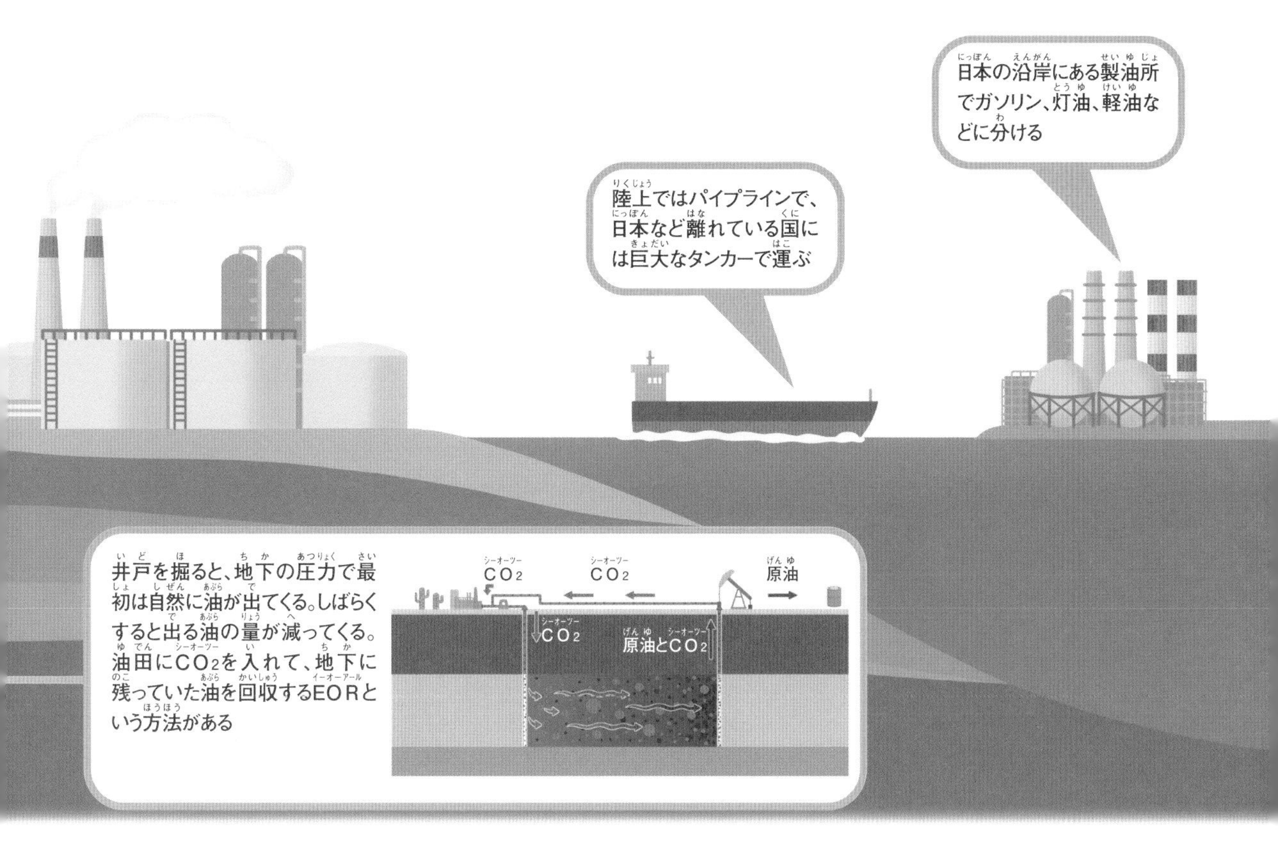
日本の沿岸にある製油所でガソリン、灯油、軽油などに分ける
陸上ではパイプラインで、日本など離れている国には巨大なタンカーで運ぶ
井戸を掘ると、地下の圧力で最初は自然に油が出てくる。しばらくすると出る油の量が減ってくる。油田にCO2を入れて、地下に残っていた油を回収するEORという方法がある
CO2
CO2
原油
CO2
原油とCO2

限られた条件のところにしか原油は貯まっていないので、原油を得ようと国どうしの争いになりやすいのです。

地上からだけではなく、海底の下にあることもあります。最近では、海底下、3000m もの深海から生産することもあります。

シェールオイルも石油ですが、通常の原油とは違う種類の地層にあります。

原油には、ガソリンのような軽い石油が中心のものや、重油のような真っ黒で重たい油が多いものがあります。ガソリンがたくさん採れる方が価値があります。

●シェールオイル（2章6節参照）

05 天然ガスってなんだろう？

地下から取り出したメタンがおもな成分のガス

天然ガスはどうやってできたの？

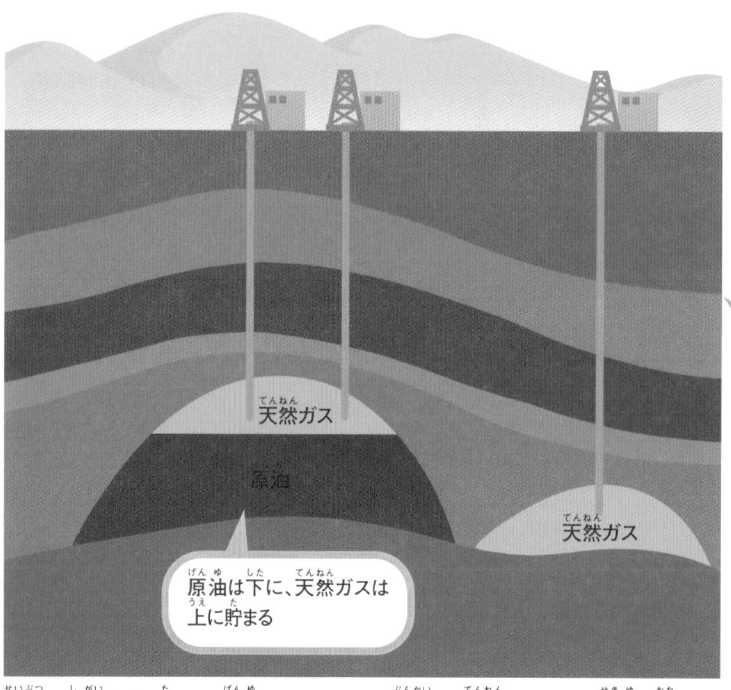
天然ガス
原油
天然ガス
原油は下に、天然ガスは上に貯まる

日本には、LNGにして専用のタンカーで運ぶ

海底下の天然ガスを掘るオーストラリア、イクシスプロジェクトの沖合生産／処理施設

写真提供：株式会社INPEX

生物の死骸などが貯まって原油となったり、さらに分解して天然ガスになる。石油と同じように海底の下から取り出すこともある（右写真）

天然ガスは、おもに地下にある原油のような化学物質が分解して、地上に出たときに気体（ガス）として存在する物質です。原油と一緒に産出することもあります。石炭を採掘するときにも出ます。おもな成分はメタンですが、エタン、プロパン、ブタンなどの化学物質が少量含まれます。

一般に、原油のように地下の地層に貯まっているものを取り出します。地下水に溶けているものや、石炭の層に含まれるもの、シェールという岩石に含まれるものもあります。

天然ガスを圧縮して、長距離をパイプラインで輸送ができますし、日本のように島国や離れているところには、冷やして液体にしたLNGを船で運びます。

●シェール（2章6節参照）

天然ガスはなにに使うの？

おもな成分はメタンです。石炭や原油に比べて、炭素（C）に対する水素（H）の割合が多いので、燃えたときに出るCO_2が少なくなります。炭素（C）がメタンより少し多いのが、エタンやプロパンで、天然ガスには少し入っています。

火力発電所

火力発電や工場の燃料、都市ガスとして使われる。都市ガスには、漏れたときにわかるように、臭いがする物質を入れている

都市ガス

工場

ガスの臭いって、あとからあえて臭いガスを入れていたんだね

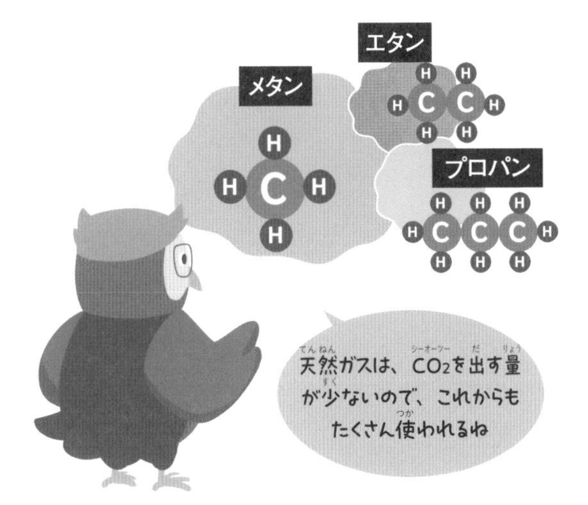
メタン
エタン
プロパン
天然ガスは、CO2を出す量が少ないので、これからもたくさん使われるね

都市ガスとプロパンガスではなにが違うの？

都市ガスは、天然ガスを元にして、燃えるときに出る熱量を調整したもので、大部分はメタンです。家や工場にパイプで供給されます。プロパンガスは、LPガスとも呼ばれ、プロパンをおもな成分とし、ブタンが少し入っているガスです。圧縮すると液体になるので、家庭用やタクシーの燃料としてボンベに入れて使います。プロパンガスは、天然ガスを生産するときや、石油を精製するときにガスの中から取り出します。

日本では使う量の2%くらいが生産されていますが、ほとんどは輸入しているのです。

天然ガスは、燃やしたときに出るCO_2が、石炭の半分、原油より30%程度少ないので、CO_2を減らすには、都市ガスや火力発電、工場の燃料だけではなく、船の燃料にも使われるようになってきました。

これからも、日本は大量にLNGとして輸入するし、世界でもたくさん使われつづけることになるでしょう。そのためには、しっかりと輸入できるように、天然ガスが採れる国に資金を出して良好な関係をつくっていく必要があります。

06

シェールオイルってなんだろう？

岩石にしみ込んでいる油を取り出したもの

シェールオイルは生産量が増えてきた

井戸1本から生産される油やガスの量が少ないので、アメリカでは、シェールオイル、シェールガスのために約800ほどの掘削する装置(リグ)を使って井戸を掘っている。
シェールオイルの場合、掘りはじめると数週間で油が取り出せる。しかし、すぐに出てくる油の量は下がり、数年しかもたない。数十年使える通常の原油の井戸とは異なる。そのため、次々に新たに掘りつづけることが必要。しかし、原油の値段が下がると掘るのをやめてしまう

井戸ってなんだろう？

原油やガスの生産で使われる井戸は、地上から機械で穴を掘り、鉄パイプを通して、地下のガスや油が地上に出るようにしたものです。

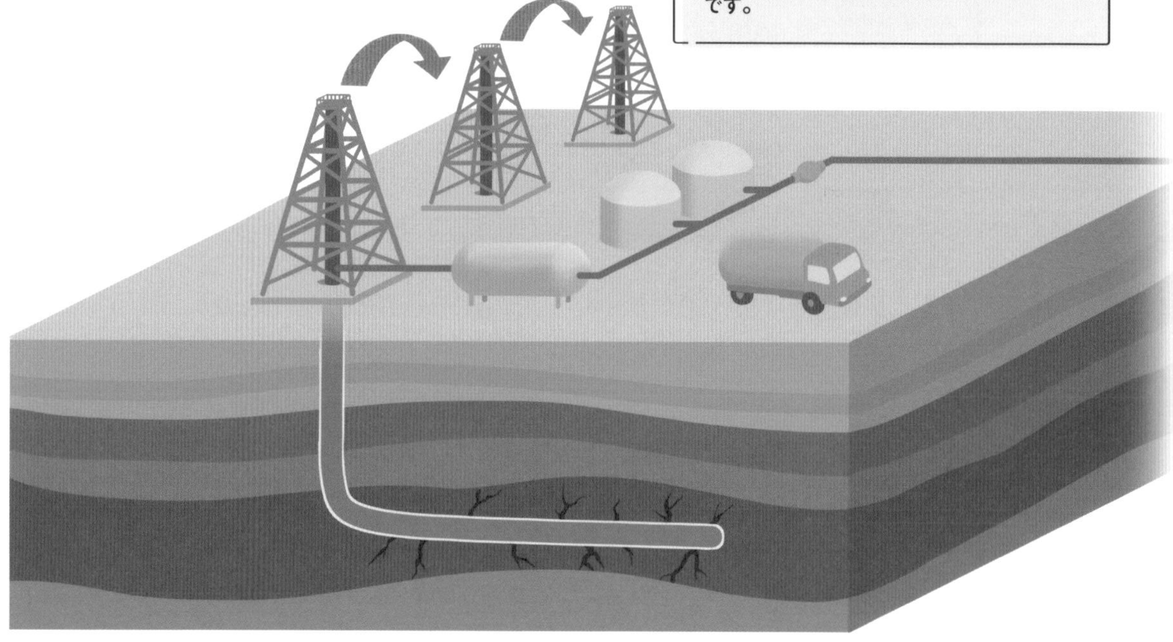

シェールオイルとは、シェールという油を含む岩石から取り出した油のことです。油とガスが同時に出て、ガスはシェールガスと呼びます。アメリカでは、技術開発が進み、2010年ごろから急に生産量が増え、2020年にはアメリカでは原油の輸出が輸入より多くなりました。

そのため、アメリカにとっては、中東などの産油国に対して強気になれる状況になったのです。同時に、中東の安全を保つことに関心が下がってしまいました。中東へのエネルギー依存を世界戦略の要としてきたアメリカと、その同盟国たちにとっては地政学的に大変重要なことです。

シェールオイルはどうやって取り出すの？

❶ 井戸を掘り、シェールの層に達したら水平方向に掘る。水平に2000m〜3000mも掘ることがある

❷ 高い水圧をかけてシェールを粉砕し、薬剤の入った水を入れる

❸ 水を回収し、ガスが通るようにする

❹ しみだした油（シェールオイル）を地上で回収する。シェールガスはそのときに出てきたガスのこと

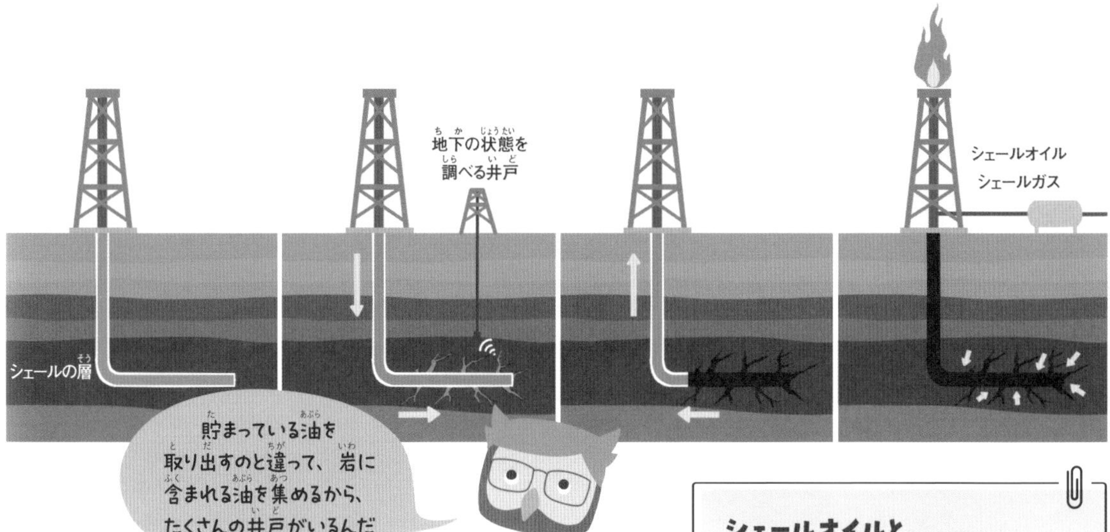
地下の状態を調べる井戸
シェールオイル
シェールガス
シェールの層
貯まっている油を取り出すのと違って、岩に含まれる油を集めるから、たくさんの井戸がいるんだ

掘削、生産する装置（リグ）群

シェールオイルと通常の原油はなにが違うの？

通常の原油は、ガソリンやナフサのような軽い油から重油のような重い油までが混ざったものです。シェールオイルは、重い油が少なく軽い油が多いのです。

アメリカでは、重い油が不足しないように、軽い油が少ない原油を輸入して、製油所で用途に見合うようにしています。

原油では、波状の地層に貯まっているものを掘り出しましたが、シェールオイルやシェールガスでは、岩石に閉じ込められている油やガスを取り出します。それができるようになったのは、地下の岩石の層に沿って水平に掘る技術と、圧力をかけて薬の入った水を岩石に流し込ませて割れ目をつくる技術ができたからです。

アメリカ以外にも、ロシアや中国、アルゼンチン、リビヤにも同じような岩石の層がありますが、十分な生産の技術がないため、まだ、生産量は少ないままです。

07 石油はなにに使うの？

燃料だけではなくプラスチックの原料にもなる

日本での石油・石炭・天然ガスの使われ方

石油

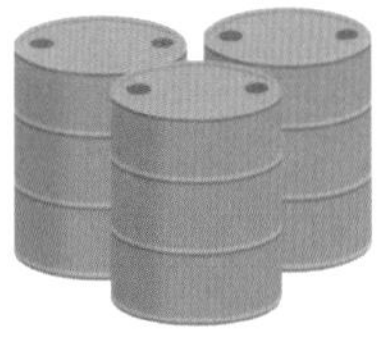

石炭

天然ガス

工場や家庭の熱源用
40%くらい
自動車、航空機、船などの輸送用燃料
40%くらい
化学繊維、プラスチックなどの化学製品
20%くらい

発電用
55%くらい
製鉄用
33%くらい
その他工業用
12%くらい

発電用
60%くらい
都市ガス用
33%くらい
その他工業用
7%くらい

製油所で原油をガソリン、化学用の原料、飛行機の燃料、船の燃料などに分ける。このことを石油精製という。分けた石油製品をむだがないように使う

石油は、燃やすだけではなく、プラスチックなどをつくるのに使うので、すぐに、すべてを再生可能エネルギーに替えるわけにはいかないね

19世紀にアメリカなどで原油が見つかりました。20世紀になると、自動車が発明され急速に大量に石油を使うようになりました。その後、中東で大規模な油田が見つかり、列強たちが産業を動かすのに必要な戦略物資として政治的に争いの対象になりました。第二次世界大戦後には、世界が石油の時代になりました。

原油は、そのままでは使えません。日本の場合、海に面したいくつもの製油所で、自動車の燃料であるガソリンや化学工業で使うナフサ、飛行機の燃料であるジェット燃料、船の燃料である重油などに分けます。石油はプラスチックなどの化学製品をつくるのにも使われます。

08 これから使うエネルギーはどうなるの？

再生可能エネルギーを使うようになる

CO_2を出す量が少ないエネルギー

EV QUICK
CHARGING POINT

飛行機にはSAFというCO_2を出す量が少ない液体燃料を使う。水素を使うかもしれない

船には、アンモニア、LNGやメタノールなどのCO_2を出す量が少ない燃料を使う

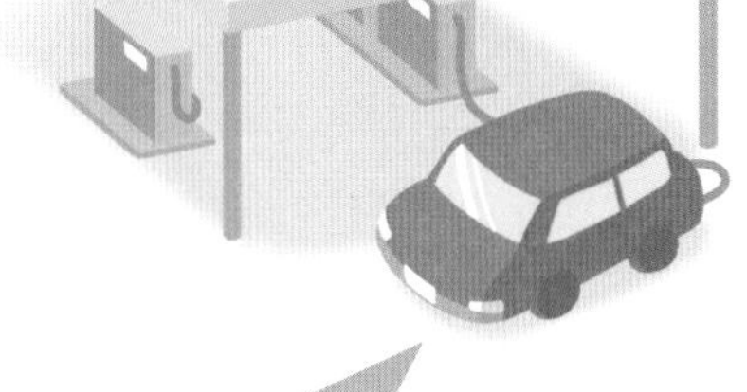

電気自動車（EV）や水素で動く燃料電池自動車（FCV）になる。水素とCO_2からつくったCO_2フリー燃料をガソリンのように使うかもしれない

再生可能エネルギー（再エネ）の電気や、再エネでつくった水素を使う

水素と回収したCO_2からつくったメタノールを原料としていろいろな化学品をつくる

SAFってなんだろう？

飛行機を飛ばすには原油からつくったジェット燃料を使いますが、安全に飛ばすために、高い品質が求められています。長距離を飛ばすには液体の燃料が必要です。原油からつくった燃料に比べて、大幅にCO_2を出す量を減らせる飛行機用の燃料がSAF（日本語では、持続可能な航空燃料）です。植物や廃棄物をもとにつくる油や、水素やCO_2をもとにつくるCO_2フリー燃料があります。現在では、使っているジェット燃料に混ぜて使いはじめています。

CO_2を減らすために、石油、石炭、天然ガスを使う量を減らして、再生可能エネルギー（再エネ）や回収したCO_2などを使ってつくった化学品や燃料を使うようになります。今は、石油からさまざまなものをつくっていますが、将来、同じような化学品をつくれるように研究開発が行われています。

アジアやアフリカでは、まだまだ経済が成長するので、燃料や化学品を使う量が増えるでしょう。そこで、CO_2フリー燃料を増やすことが必要でしょう。

●CO_2フリー燃料（5章5節参照）

09 再生可能エネルギーってなんだろう？

自然の力を利用してつくったエネルギー

再生可能エネルギーにはいろいろある

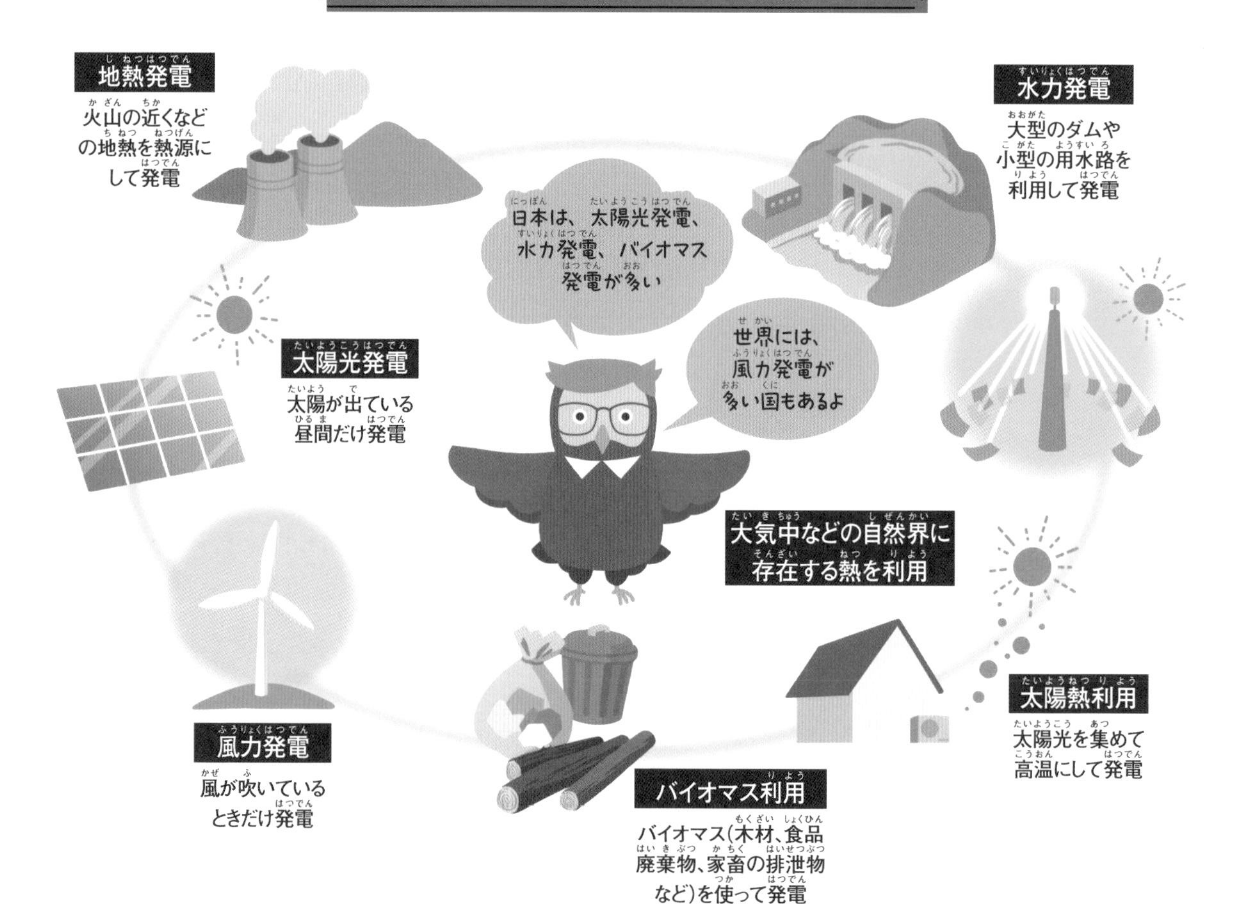

地熱発電
火山の近くなどの地熱を熱源にして発電
水力発電
大型のダムや小型の用水路を利用して発電
日本は、太陽光発電、水力発電、バイオマス発電が多い
世界には、風力発電が多い国もあるよ
太陽光発電
太陽が出ている昼間だけ発電
大気中などの自然界に存在する熱を利用
太陽熱利用
太陽光を集めて高温にして発電
風力発電
風が吹いているときだけ発電
バイオマス利用
バイオマス（木材、食品廃棄物、家畜の排泄物など）を使って発電

再生可能エネルギー（再エネ）とは、自然界のエネルギーを利用するので、使っても再び自然から供給される資源のことをいいます。日本では、太陽光、風力、水力、地熱、太陽熱、大気中などの自然界に存在する熱、バイオマスの7種類を指します。カーボンニュートラルをめざす上で、CO_2をほとんど出さないエネルギーとして注目され、中でも太陽光発電や風力発電が急速に増えています。どんな再エネを使うのがいいかは国や地域で異なります。

再エネの多くは電気で供給されます。日本で使っているエネルギーの 30% は電気で、今後、電気自動車が増え、デジタル化が進むので、電気の割合がさらに増えるでしょう。

●カーボンニュートラル（5章1節参照）

再生可能エネルギーをうまく使うには？

揚水発電

電気が必要なときには、水力発電、電気があまっているときには、発電機を逆に使ってポンプとして水を上の湖に揚げる

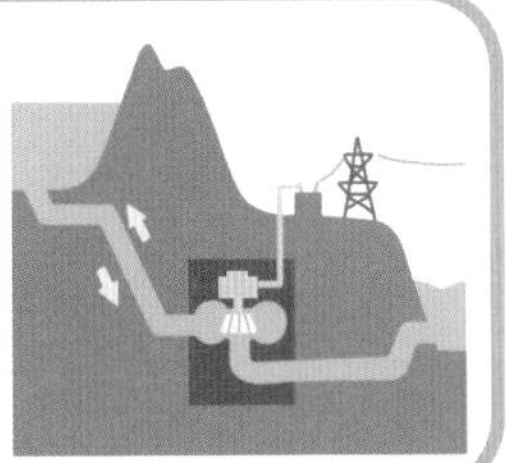

電気には50ヘルツと60ヘルツがあるの？

家庭で使う電気は交流で、東日本では50ヘルツ、西日本では60ヘルツです。東日本と西日本で電気をやり取りするには、周波数を変える特別な装置が必要で、その量に限りがあります。

明治時代に、東京ではドイツの発電機を、大阪ではアメリカから60ヘルツの発電機を輸入したことで、東と西で異なる周波数になってしまったのです。

蓄電池

再エネ電力があまったときには、揚水発電や蓄電池に貯めておく

電気系統

北海道の広大な土地で太陽光発電や風力発電で起こした電気を、大都市に運ぶための設備が必要

太陽光発電

今までより薄くて曲げられるペロブスカイト型太陽電池が開発されている。建物の壁や車の屋根にも付けられる

太陽電池・蓄電池

住宅に太陽電池と蓄電池を両方付けると、夜も停電のときも電気を使える

風力発電

洋上に建てるケースが増えている

再エネは、自然のエネルギーを集めて使うので、広い面積を使います。大型の火力発電所で発電する電気を太陽光発電で発電するには、ざっと20km四方の広大な土地が必要です。また、太陽光発電では夜は発電しないし、風力発電も季節や天気に左右されます。従って、火力発電などで発電する電気の量を調整したり、蓄電池で電気を出し入れします。

これからは、風が良く吹いている遠浅の海に、洋上風力発電を増やそうとしています。

火山の近くで地下の高温の熱を使う地熱発電は天気に左右されませんが、適切な建設場所がなかなかありません。

●蓄電池（5章3節参照）／●洋上風力発電（4章7節参照）

10

水素ってなんだろう？

CO_2を出さないクリーンなエネルギー

水素はなにに使うの？

水素はCO_2を出さない燃料だよね。賢く使って、化石燃料の替わりに使いたいね

水素は直接使う以外にも化学品にしたりと、いろいろな使い方があるんだ

水素

今までの使い方

CO_2を出しながらつくった水素

石油コンビナート

液体水素ロケット

今の使い方

だんだんとCO_2を出さない水素に変わる

FCV
H2

燃料電池自動車（FCV）

長距離を走るトラックなどに適している

火力発電

水素からつくったアンモニアを石炭火力の燃料に混ぜて燃やす

これからの使い方

CO_2をあまり出さずにつくった水素

燃料電池鉄道車両

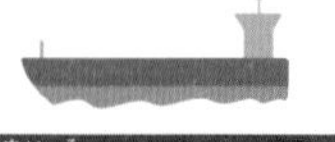

水素やアンモニア燃料船

化学品製造

石油コンビナートなどで新たな化学品を製造する

工場など

燃料として使われる

水素発電

水素製鉄

水素は、燃やしてもCO_2を出さないので、カーボンニュートラルをめざす上で、注目されています。水素は、燃料電池自動車（FCV）や工場の燃料や発電に使うだけではなく、CO_2と反応させて化学物質をつくることもできます。今まで石油や天然ガスからつくっていたものもつくれます。CO_2を回収してメタノールなどの化学品をつくる技術をCCUといいます。

これからの水素は、CO_2をあまり出さない方法でつくることが必要です。その1つが再生可能エネルギー（再エネ）を使って水を電気分解してつくるグリーン水素です。ほかにも、太陽光を光触媒に当てて水から水素をつくる技術などさまざまな技術を開発しています。

●カーボンニュートラル（5章1節参照）

さまざまな色の名前の水素がある

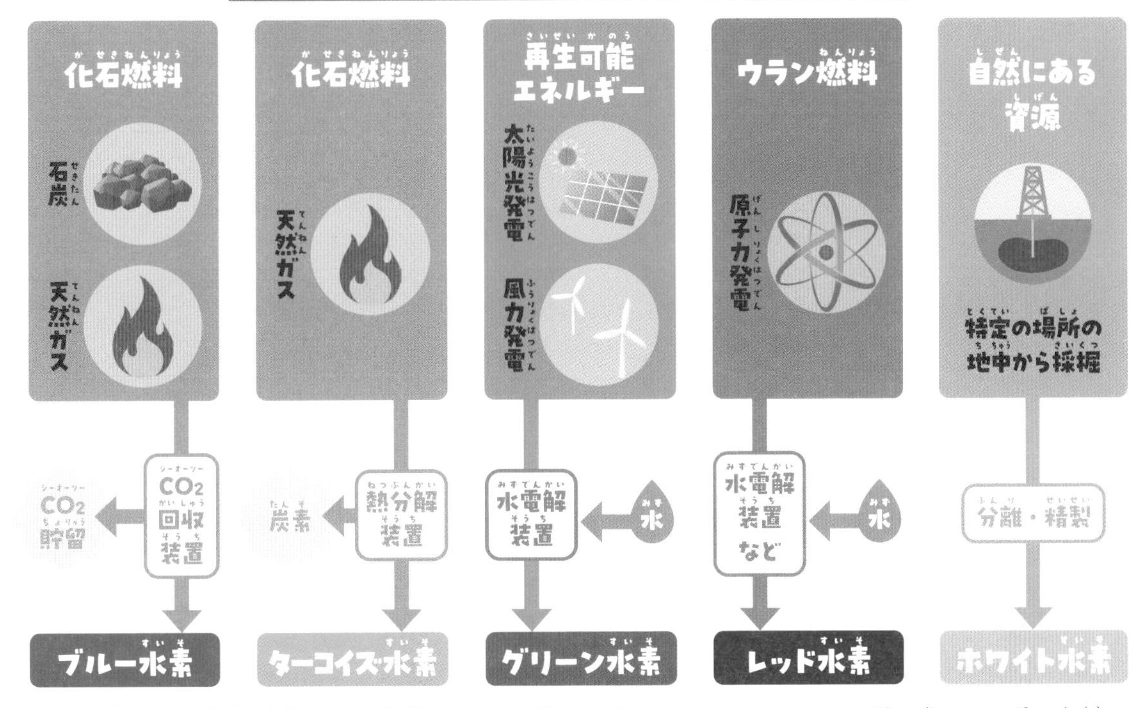
化石燃料
石炭
天然ガス
CO2回収装置
CO2貯留
ブルー水素
化石燃料
天然ガス
熱分解装置
炭素
ターコイズ水素
再生可能エネルギー
太陽光発電
風力発電
水電解装置
水
グリーン水素
ウラン燃料
原子力発電
水電解装置など
水
レッド水素
自然にある資源
特定の場所の地中から採掘
分離・精製
ホワイト水素

水素を海外でつくって日本に輸送するには、液体にして液体水素輸送船で運ぶか、液体にしやすいアンモニアなどにしてアンモニア船で運ぶ

160,000m³型 液化水素運搬船（タンク搭載イメージ図）
写真提供：川崎重工業株式会社

水素は無色のガスですが、つくり方に合わせて色の名前が付けられています。工場で一般的に使われている天然ガスから水素をつくる方法では CO_2 が出ます。これは、グレー水素と呼ばれています。それに対して、CO_2 をあまり出さないで水素をつくるには上に示す方法があります。

アンモニアってなんだろう？

水素と窒素からできていて燃やしても CO_2 が出ない化学物質。強い刺激臭があるので取り扱いには注意が必要ですが、火力発電所や化学工場では現在も安全に使っています。圧力を少しかけると液体になるので、水素に比べて運びやすいのです。グリーン水素でつくったアンモニアはグリーンアンモニアと呼ばれます。

水素は、再エネが安く得られるところでつくるのがいいでしょう。でも、海外でつくった水素を日本に持ってくるには、－253℃に冷やして液体の水素にしたり、アンモニアのような化学物質にして船で運ぶことになります。世界では、天然ガスからつくった水素を使ってたくさんアンモニアをつくっています。しかし、原油や LNG に比べて長距離を運ぶのが大変です。

一方、ヨーロッパの中では、国をまたいで水素パイプラインが計画されていて、これからは使いやすくなります。

コラム

原子力と核融合はどうなるの？

カーボンニュートラルの実現に必要

福島第一原子力発電所の
事故で、世界のみんなが、
もっと安全な技術にしなければ
いけないとわかったんだよ

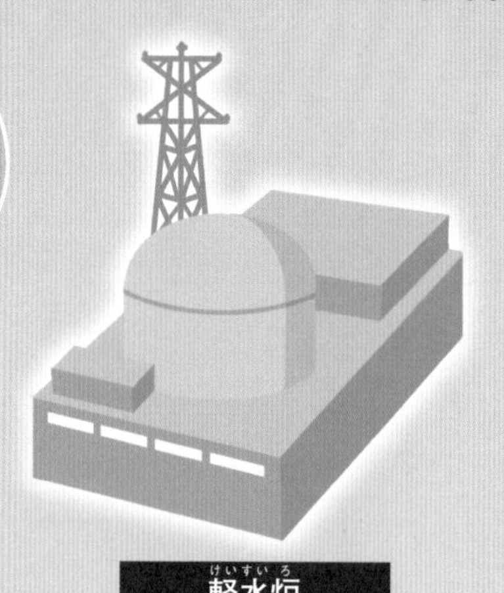

軽水炉

軽水炉は、多くの原子力発電所で使っている

小型モジュール炉（SMR）

小型モジュール炉は、今までの軽水炉と同じ原理で、より小型、より安全性を重視したもの

原子力発電（原発）は、2011年の福島第一原子力発電所の重大事故以後、全国にある原発の安全を審査し、もっと安全になるよう改善しています。安全性を高める工事が終わったところから動きはじめていますが、まだ、全体の一部に過ぎません。

原子力発電は、CO_2を出さず、決めた量を発電できる方法です。原子力発電に使うウラン燃料は4～5年間使えるので、エネルギー安全保障の点からもメリットがあります。一方で、放射能レベルが高い使い終わった燃料を処分する方法が決まっていません。

より安全な原子力をめざして、小型モジュール炉（SMR）が開発されています。従来の原子炉を小型化し、安全性を高めることと、工場生産により建設コストを下げられることが特徴です。アメリカ、ヨーロッパ、日本では、実用化に向けて技術開発が進んでいます。ほかにも高温ガス炉などの革新炉と呼ばれる原子炉の開発が行われています。

また、未来のエネルギーとして太陽のエネルギーがつくられる仕組みである核融合炉の技術開発が進んでいます。原子核を強制的に結合させることで、重い原子核ができ、そのときに大きなエネルギーが出ます。原子力発電で使う核分裂反応に比べて、反応を起こすのが難しく、数億度の高温のプラズマが必要です。核融合では、ウランやプルトニウムではなく、地球上に多く存在する水素やヘリウムを使います。

核融合炉の研究は、2050年代の実用化をめざして、世界で進められています。先進国が共同でITERという大規模実験プロジェクトをフランスで実施しています。日本では、ITERを補うために、茨城県の研究所で実験をしており、実現の第一歩となる高温のプラズマを生成することに成功しました。

3章

エネルギーはどこから運んでくるの？

01 日本のエネルギーはどこから運んでくるの？

世界各地からさまざまなエネルギーを運んでくる

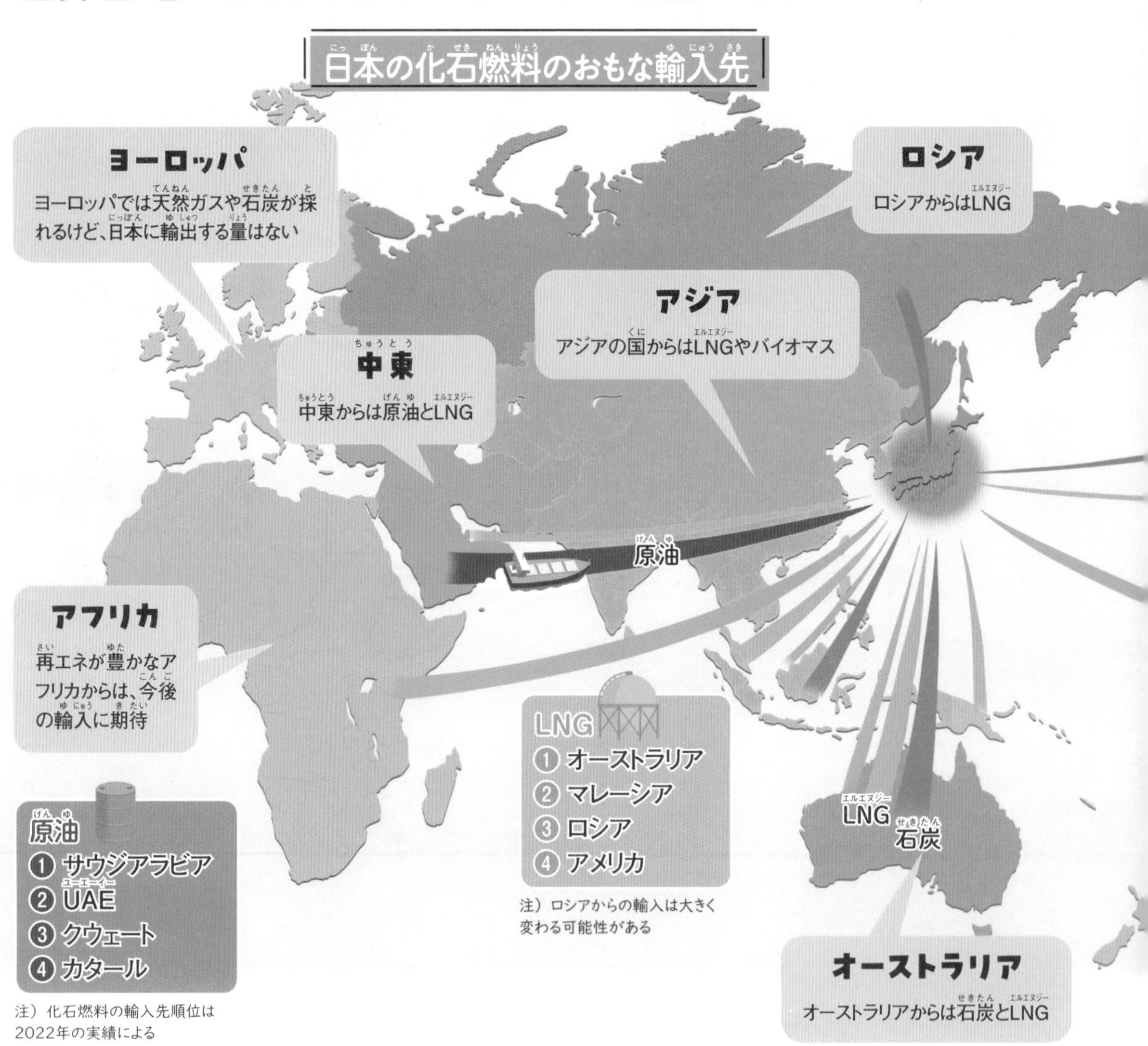

日本の化石燃料のおもな輸入先
ヨーロッパ
ヨーロッパでは天然ガスや石炭が採れるけど、日本に輸出する量はない
ロシア
ロシアからはLNG
アジア
アジアの国からはLNGやバイオマス
中東
中東からは原油とLNG
原油
アフリカ
再エネが豊かなアフリカからは、今後の輸入に期待
LNG
① オーストラリア
② マレーシア
③ ロシア
④ アメリカ
注）ロシアからの輸入は大きく変わる可能性がある
LNG
石炭
原油
① サウジアラビア
② UAE
③ クウェート
④ カタール
注）化石燃料の輸入先順位は2022年の実績による
オーストラリア
オーストラリアからは石炭とLNG

日本は世界各地から化石燃料を輸入しています。原油は中東の国々、LNG はオーストラリアやマレーシア、石炭はオーストラリアやインドネシアです。

いずれの化石燃料も、使う量のほとんど全量を海外から輸入しているのです。これら輸入先とは仲良くして行くのはもちろん、資金を出して資源を開発することも必要です。また、それらの国から日本へは、安全に船で運べるようにしなければなりません。

これからは、
安定してエネルギーを確保するには、
信頼できるさまざまな国から
輸入した方がいいね
化石燃料は、
中東と
オーストラリアが
頼りになるね

日本がエネルギーを輸入するために心がけてきたこと

海外からエネルギーを安全に、そして、確実に輸入するために、次のことを心がけてきました。

- さまざまな国から輸入する
- さまざまなエネルギーを輸入する（エネルギーミックス）
- 日本にエネルギーを蓄えておき、足りないときに使う（石油備蓄など）

石炭
1. オーストラリア
2. インドネシア
3. ロシア
4. カナダ

北アメリカ

アメリカからはLNGやLPG、カナダからは石炭

石炭

LNG

再エネ燃料

S+3E ってなんだろう？

日本のエネルギー政策の基本。安全性（S）を大前提として、自給率（E）、経済効率性（E）、環境適合（E）の英語の頭文字を組み合わせた言葉。特に、日本の国内で得られるエネルギーの割合であるエネルギー自給率は13%（2022年度）しかないので、海外から87%分を安全に輸入することが当面の課題です。

南アメリカ

南アメリカには、今後、再エネでの協力を期待したい

再エネやそれからつくった燃料

オーストラリア、南北アメリカ、アフリカなどに協力を期待する

注）将来の期待されるラインを示す

これからは、再生可能エネルギー（再エネ）からつくった水素やアンモニア、水素とCO_2からつくったメタンやメタノールなども世界から輸入することになるでしょう。日本と同じように資源がない韓国や台湾などと共同で輸入するのもいいですね。

そうなると、再エネを安価につくれて、日本にとって信頼できる国、たとえばオーストラリアやアメリカが注目されます。

また、安定してエネルギーを確保するには、できるだけ、さまざまな国、たとえば南アメリカやアフリカの国からも輸入することも考えましょう。

●エネルギー自給率（1章4節参照）／●水素・アンモニア（2章10節参照）／●CO_2からつくったメタンやメタノール（5章5節参照）／
●オーストラリア（4章4節参照）／●アメリカ（4章1節参照）

02 石油はどこで生産されているの？

中東の国々が多いけど日本に運ぶのは大変

原油を生産する国は、アメリカ、サウジアラビア、ロシア、カナダ、イラク、中国の順。中東諸国はどこも多量に生産している

原油は中東に多い

北海
(ノルウェー／イギリス)
西シベリア(ロシア)
東シベリア(ロシア)
バクー
(アゼルバイジャン)
中国西部
サハリン(ロシア)
中国沿岸
アルジェリア
中東
(サウジアラビア／UAE／イラン／イラクなど)
ナイジェリア
インドネシア
カナダ西部
(アルバータ)
アメリカ東部
(ペンシルバニアなど)
アメリカ中部
アメリカ南部(テキサス)
ベネズエラ
ブラジル

中東の国ばかりから輸入していて大丈夫なのかな？

日本は、おもに中東から原油を輸入している。マラッカ海峡を通れる最大の全長が約330m、幅が60mのVLCCと呼ぶ超大型のタンカーで、一度に約30万トンの原油を運ぶ。約12,000kmの距離を、片道に20日間、積み下ろしを含めると一往復するのには45～50日かかる。1隻で運ぶ原油は日本で使う原油の15～20時間分。

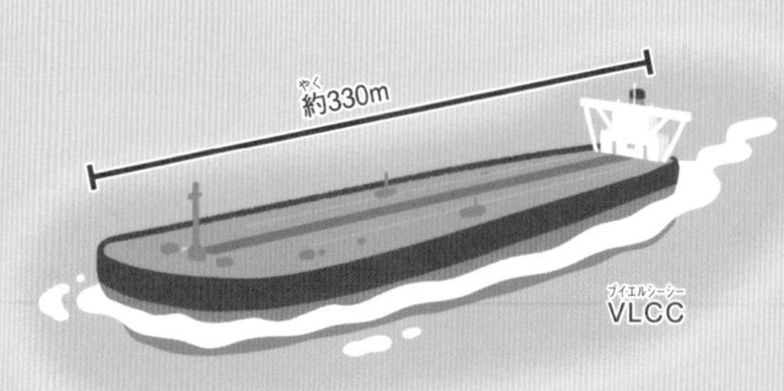

約330m
VLCC

日本は、さまざまな国から輸入しようとしてきて、ロシアからも輸入していたんだ

けれど、ロシアのウクライナへの侵攻で難しくなってしまったんだよ

原油をたくさん生産しているのは、シェールオイルを含めるとアメリカ、中東の国々、それにロシア、カナダ、中国などです。地下にある量では、中東の国が多いです。また、日本は、サウジアラビア、UAE、クウェート、カタールなどの中東の国々から、使う量の約 90%を輸入しています。

2章で説明したように、原油は、液体が貯まりやすい地下の地層のところにあります。そのような場所は世界の中でも限られています。原油を生産する産油国は OPEC という集まりをつくり、産油国に有利になるように相談して、原油の値段や輸出する量を決めています。

●シェールオイル(2章6節参照)／●OPEC(1章3節参照)

オイルロードってなんだろう？

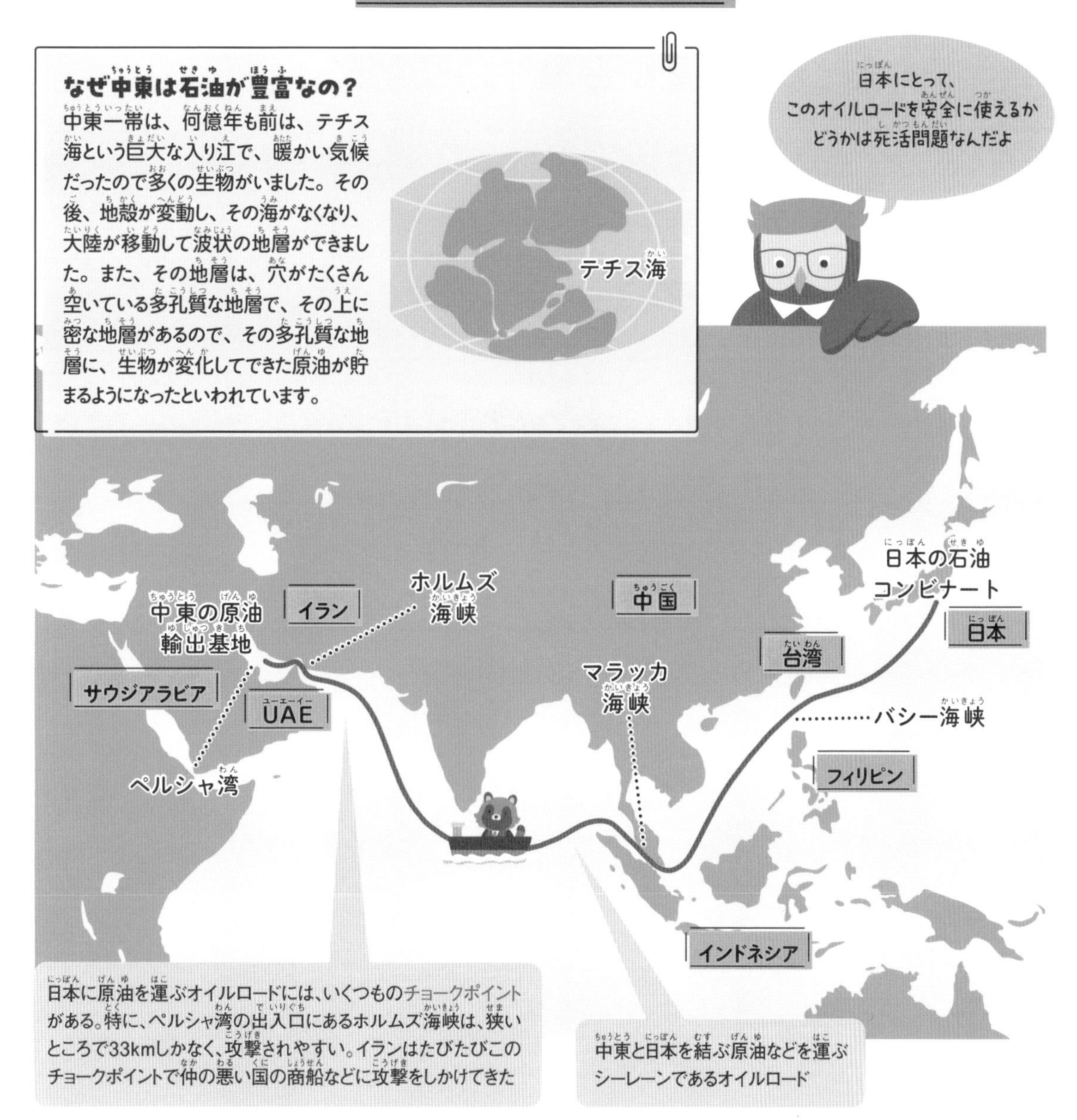
なぜ中東は石油が豊富なの？
中東一帯は、何億年も前は、テチス海という巨大な入り江で、暖かい気候だったので多くの生物がいました。その後、地殻が変動し、その海がなくなり、大陸が移動して波状の地層ができました。また、その地層は、穴がたくさん空いている多孔質な地層で、その上に密な地層があるので、その多孔質な地層に、生物が変化してできた原油が貯まるようになったといわれています。
テチス海
日本にとって、このオイルロードを安全に使えるかどうかは死活問題なんだよ
中東の原油輸出基地
イラン
ホルムズ海峡
中国
日本の石油コンビナート
日本
台湾
サウジアラビア
UAE
マラッカ海峡
バシー海峡
ペルシャ湾
フィリピン
インドネシア
日本に原油を運ぶオイルロードには、いくつものチョークポイントがある。特に、ペルシャ湾の出入口にあるホルムズ海峡は、狭いところで33kmしかなく、攻撃されやすい。イランはたびたびこのチョークポイントで仲の悪い国の商船などに攻撃をしかけてきた
中東と日本を結ぶ原油などを運ぶシーレーンであるオイルロード

中東に原油があることがわかると、第一次世界大戦時に、イギリスやフランスが秘密協定を結びオスマン帝国※1の地を植民地にしました。第二次世界大戦後、イギリスが統治していたパレスチナにユダヤ人が押し寄せ、イスラエルが生まれました。このときからユダヤ人とアラブ人が敵対するようになりました。中東で争いがあると、原油が生産できなくなったり、輸出ができなくなります。このようなときのためにも、ほかの地域からも輸入したいものです。

中東から日本には、VLCCという巨大なタンカーがオイルロードを通って原油を運んできます。安全に運んでくるのは大変です。

●チョークポイント（0章4節参照）　※1）オスマン帝国は、14～20世紀初頭に存在した、現在のトルコを中心に、イラクや地中海におよぶ大帝国

天然ガスはどこで生産されているの？

中東以外でもさまざまな国で生産されている

天然ガスはどこから輸入しているの？

天然ガスを生産する国は、多い順にアメリカ、ロシア、イラン、中国、カタール。原油とは少し異なる。最近では、海底の下にあるガス田から取り出すことが多い

日本はオーストラリアとマレーシアからたくさん輸入しているよ

ヤマル（ロシア）
東シベリア（ロシア）
西シベリア（ロシア）
北海（ノルウェー／イギリス）
ウラル（ロシア）
サハリン（ロシア）
トルクメニスタン
中国中西部
アルジェリア
中東（イラン／カタール／オマーンなど）
ナイジェリア
カリマンタン／ニューギニア（マレーシア／インドネシアなど）
オーストラリア西部
カナダ西部（アルバータ）
アメリカ中部
アメリカ東部（ペンシルバニアなど）
アメリカ南部（テキサス）

オーストラリア

マレーシア

天然ガスは、原油よりもいろいろな国で生産されているけれど、ガスだから運ぶのは難しいんだ

天然ガスは原油に比べていろいろな国にあります。オーストラリアはもちろん、中東では原油の生産量が少ないカタール、中央アジアのトルクメニスタン、アジアではマレーシアなどでも生産されています。

日本は、おもに比較的近いオーストラリアやマレーシアから輸入しています。オーストラリアでは日本が権利のあるガス田と建設したLNG基地があり、安定して輸入できます。中東に比べて近く、日本までのシーレーンにチョークポイントがないのもいいですね。

●シーレーン・チョークポイント（0章4節参照）

いろいろな天然ガスの種類がある

ロシア

近い国にはパイプラインで送っています。ロシアからヨーロッパへはパイプラインで輸送していました。ロシアが送るのをやめると、あらたに建設するのにコストや時間がかかるので、ほかの国から買うのが難しいのです。

いざとなったら
パイプラインで
送るのを止めるぞ
ドイツ
イタリア
ポーランドなど

アメリカ

シェールガスはアメリカ各地で大量に生産されるようになり、天然ガスの生産量が世界でもっとも多くなりました。シェールオイルと同時に生産されることが多いエネルギーです。

LNGにして
輸出するよ

日本

日本近海の海底下の地層には、メタンハイドレートという水とメタンでできた氷のようなかたまりがあります。日本では、これからメタンを取り出すための技術開発が行われています。

日本でも生産
できるといいね

天然ガスの値段はどうなっているの？

天然ガスは、産出した場所の近くなら安いですが、パイプラインで運ぶにはお金がかかり高くなります。LNGではもっと値段が上がります。日本やヨーロッパでは、アメリカの3～5倍です。

それに対して、原油は液体のまま巨大なタンカーで安価に運べるので、地域による値段の差は小さいのです。

地下に存在している埋蔵量は、中東の国々とロシア（旧ソ連）や中央アジアの国に多いのです。ヨーロッパはこの天然ガスをあてにしていました。ウクライナへのロシアの侵攻がおきてからは、ロシアからの天然ガスの輸入量が減ってしまい、ヨーロッパの国々は、アメリカなどからLNGを輸入するようになりました。エネルギーを相手国への脅しに使うことは、世界が混乱するだけではなく、争いが広がる可能性があり、やってはいけないことです。そのようなことをする国は信頼できません。

●シェールガス（2章6節参照）

04 LNGはどこで生産されているの？

日本はオーストラリアに頼っている

LNGはどうやってつくるの？

ヤマル（ロシア）
サハリン（ロシア）
アルジェリア
中東
（カタール／オマーン／UAE）
アメリカ南部
（テキサス／ルイジアナ）
ナイジェリア
カリマンタン／ニューギニア
（マレーシア／インドネシアなど）
オーストラリア
西部
原油と違って、天然ガスをLNGとするには、−162℃に冷やして液体にするLNGプラントという巨大な設備が必要。海底下で掘って取り出した天然ガスの場合は、海底のパイプラインで地上のLNGプラントに持ってくる
天然ガス
−162℃
に冷やす
LNG
天然ガスは、
もともとはガスだから、
そのままではかさばるんだ
LNGにすると、
体積が 1/600になるから
運びやすくなるのさ

天然ガスは気体なので、運ぶにはパイプラインが一般的ですが、陸続きでなく遠い場合は、冷やして液体にした LNGを専用の船で運びます。日本は、オーストラリア、マレーシア、ブルネイ、パプアニューギニア、アメリカ、ロシアなどからLNGで輸入しています。

以前は、天然ガスは原油と異なり、取り扱いが面倒なので、生産したところの近くでしか使われていませんでした。その後、技術が進み、1969年に日本はアラスカからLNGの輸入を開始し、今や、原油に次ぐエネルギーの量を輸入しています。日本は世界で初めて、海外から大規模にLNGを輸入し始めたのです。このような決断が日本を発展させてきました。

LNGはどうやって運ぶの？

LNGタンカーってなんだろう？

LNGを専用に運ぶ船。天然ガスを－162°Cの液体にして運びます。原油や水に比べて軽いので、満杯にしても海面の上に大きく出ています。球形タンクを積んでいてタンクの丸い上部が上に出ているものや、船体と一体型のメンブレン方式があります（3章コラム参照）。

日本の船会社は約250隻の大型LNGタンカーを持っています。

オーストラリア、イクシス陸上ガス液化プラント
写真提供：株式会社INPEX

LNGプラントでは、地下から取り出したガスからCO_2や不純物を除き、冷やしてLNGにする

LNG受入れ基地（東京ガス袖ケ浦LNG基地）
写真提供：東京ガスエンジニアリングソリューションズ株式会社

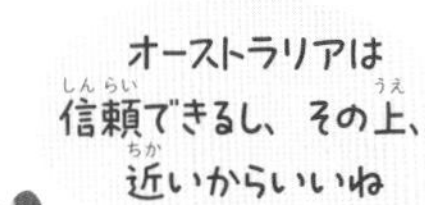
オーストラリアは
信頼できるし、その上、
近いからいいね

LNGは、LNG用の専用タンクがある受入れ基地であれば、船で世界のどこにでも運べる。
日本は、海外から輸入する天然ガスはすべてLNGとして輸入している

LNGは、天然ガスを－162°Cに冷やして液体にしたもので、そのためには巨大な設備が必要です。世界のこの設備の半分以上を日本の会社が建設してきました。また、日本に輸入するために、多くの日本のLNGタンカーが働いています。輸送する船の中でもその温度を保ちますが、一部、蒸発してガスになったものは、その船の燃料にしています。

LNGはそのまま置いておくと少しずつ蒸発してガスになるので、原油の備蓄のように、長期間、タンクに入れて保管するのには向きません。とはいえ、天然ガスやLNGは、化石燃料の中ではCO_2を出す量が少ないので、これからも世界でたくさん使われるでしょう。

05 再生可能エネルギーが豊富な国はどこだろう？

再生可能エネルギーの種類によって豊富な国が違う

風力発電

風力発電が多い国は、中国、アメリカ、ドイツ、インド、スペイン。偏西風などで風がつねに吹いている、地図に示した地域では安く発電ができる

風力発電
太陽光発電
地熱発電

地熱発電

地球内部の高熱を利用する地熱発電は、火山のある国に向いている。発電量が多いのは、アメリカ、インドネシア、フィリピン、トルコなど。日本は地熱の資源は多いが、発電量は少ない

ここでは、太陽光発電と風力発電に注目してみましょう。

太陽光発電で1年間に発電する量は、年間の太陽が出ている時間が長く、太陽の光が強いと多くなります。赤道から少し離れていて、広大な土地があるオーストラリア、中東、アフリカの砂漠地帯、アメリカの西海岸などが適しています。緯度が高い寒冷地や雨が多い赤道の周辺は適していません。日本でもやっていますが、中東などの砂漠地帯に比べると発電のコストが上がります。

太陽光発電では、どうしても夜は発電できないので、発電した電気を貯める設備、たとえば蓄電池も合わせて設ける必要があります。

●偏西風(4章13節参照)

日本は、太陽光発電や風力発電を増やしている。しかし、海外の再生可能エネルギーが豊富な国より値段が高いことが多い。また、国内だけでは十分にエネルギーを得られないので、かなりの量を海外から輸入することになる
バイオマス発電
バイオマスには、世界中にさまざまなものがある。燃やすのに適する材木や、油をつくるのに適する農作物のカス、稲わら、生ごみ、ふん尿などがあり、国や地域により大きく異なる。これらのバイオマスを燃料にして発電するので、CO2を排出したことにならないのが、バイオマス発電
赤道のまわりが一番、太陽があたるんじゃないの？
赤道
赤道のまわりは雨が多いんだ
南北に少し離れたエリアには砂漠などがあり、太陽光発電に向いているんだよ
太陽光発電
太陽光発電が多い国は、中国、アメリカ、日本、インド、ドイツ。一方、安く発電ができるのは太陽光が強く、雨があまり降らず、広い土地がある中東やオーストラリア

一方、風力発電は、季節によらず、一日を通して安定して強い風が吹いているところが適しています。世界では、南アメリカ大陸の南端、アメリカの中西部、中国内陸部、北海周辺などが適している地域です。最近では、風が吹くのに邪魔にならない海での発電、いわゆる洋上風力発電が注目され、日本でも北海道や東北地方で増やしています。

このように、再生可能エネルギー（再エネ）でも、豊富な地域とそうではないところがあるのです。これからは、カーボンニュートラルをめざして、日本より安価に再エネを得ることができる国から、再エネでつくった水素やアンモニアなどを輸入することになるでしょう。

●バイオマス（2章1節参照）

コラム

エネルギーキャリアってなんだろう？

エネルギーを船で運ぶ

そのままで液体のもの

原油／石油製品／メタノール／エタノール／MCH

大型原油タンカー（VLCC）

写真提供：出光タンカー株式会社「Apollo Dream」

冷やして液体にしたもの

液体水素／液体アンモニア／LNG／LPG

LNG タンカー（メンブレン方式）

LNG タンカー（球形タンク方式）

固体で運ぶもの

石炭

石炭専用船

原油のような液体は船で運びやすいね。
気体は、運びやすい液体にして運ぶんだよ

海外からエネルギーを運んでくるには、船を使います。原油は1隻で30万トンを運ぶ巨大なタンカーで、天然ガスは冷やして液体にしたLNGで運びます。石炭は固体のままでばら積みです。

再生可能エネルギーは、電気が中心です。海外から運ぶには、電気をなにかの化学物質にします。その物質をエネルギーキャリアと呼びます。

電気を使って水を電気分解してつくった水素がその一つです。水素は気体なので、圧縮して小さくするか、冷やして液体にします。船の場合は、－253℃に冷却して液体にして運びます。しかし、液体の水素では、同じ大きさの船ではLNGの1/3のエネルギーしか運べません。さらに、極めて低い温度を保って運ぶ船は、原油やLNGタンカーに比べて高価になります。もう少し、運びやすいものとしてアンモニアがあります。アンモニアは、普通の温度でも圧力をかけると液体になります。また、水素を運ぶのにMCHという液体を使うこともできます。

このほかに、さまざまなCO_2フリー燃料があります。エネルギーを何にして運ぶかは、エネルギーキャリアをつくるのに必要なエネルギーや運ぶ船のコスト、日本に運んでからどのように利用するかで決まります。

※MCHとは、有機ハイドライドの略。水素を生産した場所で、ある化学物質と水素を反応させて違う化学物質にしたもの。水素を使うところに運び、水素を取り出し、元の化学物質に戻す。

●CO_2フリー燃料（5章5節参照）

4章

エネルギーは国によって事情が違うの？

01 アメリカはエネルギーをどうしているの？

シェールオイルとシェールガスでエネルギーが豊富

アメリカには、東海岸、西海岸、中西部の平原、ロッキー山脈、南西部の砂漠とさまざまな地形のところがあります。

アメリカは、国境の多くが海に面している巨大な島国ともいえるシーパワーの国。中東からの原油の輸入が減っても、シーレーンをしっかり守ってくれないとね
ロッキー山脈
太陽光発電・風力発電
西海岸
サンフランシスコ
カリフォルニア州
穀倉地帯・牧草地
砂漠
LNG
日本や韓国にLNGを輸出
アメリカ海軍が世界の海のシーレーンを守っている
メキシコ

アメリカは、中国に次いでエネルギーを使っていて、その量は日本の6倍です。また、世界最強の軍隊を持つシーパワーの国で、民主主義の国のリーダーです。

10隻の原子力航空母艦や原子力潜水艦などからなる海軍がシーレーンを確保しています。また、横須賀を母港とする航空母艦などでインド太平洋地域を守っています。もし、日本が他国から攻撃されたときは、日本とアメリカが共同で戦う軍事同盟を結んでいます。

近年、シェールオイルの生産が増え、原油の輸出と輸入量はほぼ同じくらいになりました。天然ガスでは、シェールガスの生産により、世界で最大の生産国となり、ヨーロッパや日本、韓国にLNGにして輸出しています。その結果、中東への関心が薄れてきたのが心配です。

●シーパワー（0章3節参照）／●シェールオイル（2章6節参照）

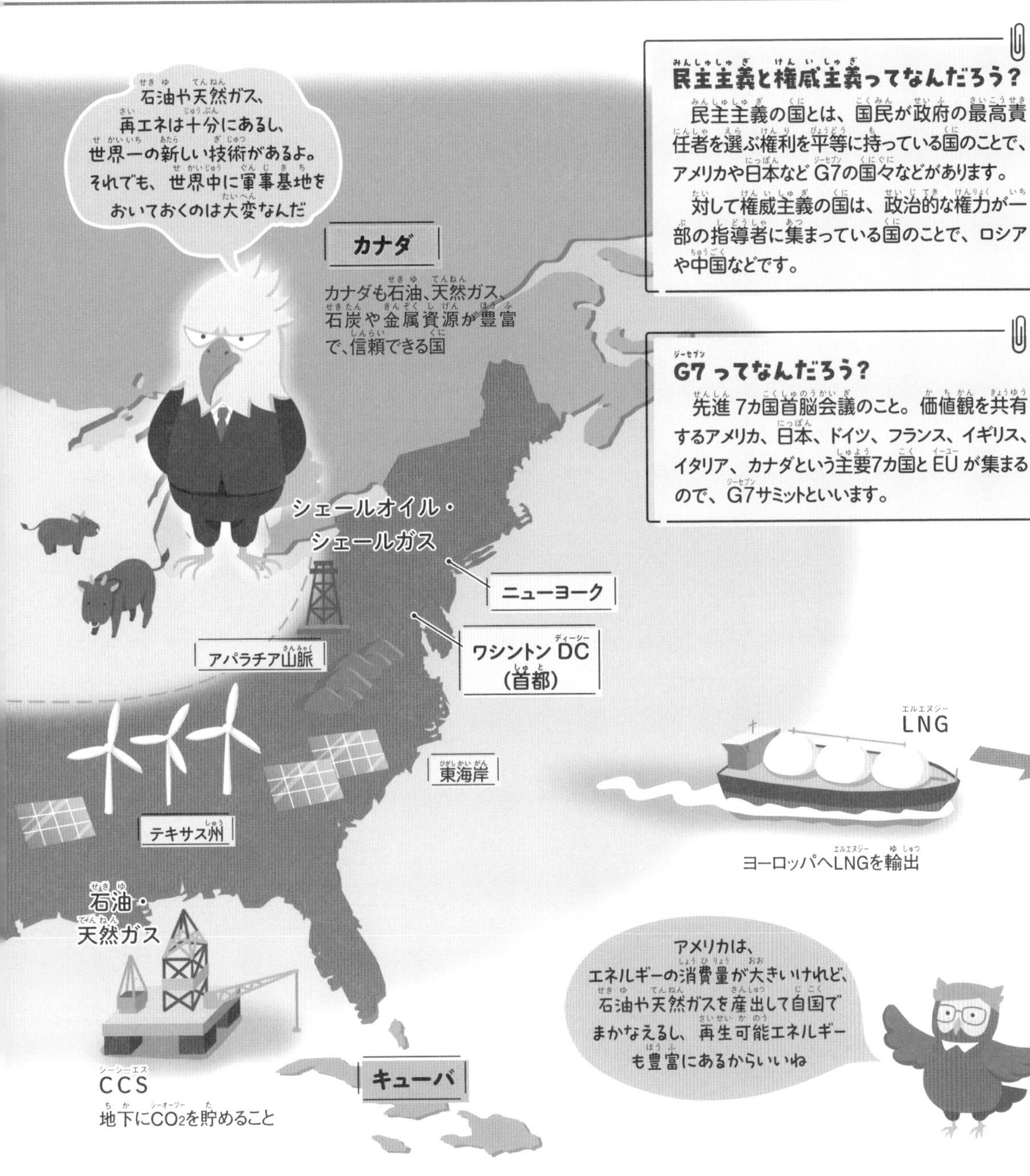
石油や天然ガス、
再エネは十分にあるし、
世界一の新しい技術があるよ。
それでも、世界中に軍事基地を
おいておくのは大変なんだ
カナダ
カナダも石油、天然ガス、石炭や金属資源が豊富で、信頼できる国
シェールオイル・シェールガス
ニューヨーク
ワシントンDC（首都）
アパラチア山脈
東海岸
テキサス州
石油・天然ガス
CCS
地下にCO2を貯めること
キューバ
LNG
ヨーロッパへLNGを輸出
アメリカは、
エネルギーの消費量が大きいけれど、
石油や天然ガスを産出して自国で
まかなえるし、再生可能エネルギー
も豊富にあるからいいね

民主主義と権威主義ってなんだろう？

民主主義の国とは、国民が政府の最高責任者を選ぶ権利を平等に持っている国のことで、アメリカや日本などG7の国々などがあります。

対して権威主義の国は、政治的な権力が一部の指導者に集まっている国のことで、ロシアや中国などです。

G7ってなんだろう？

先進7カ国首脳会議のこと。価値観を共有するアメリカ、日本、ドイツ、フランス、イギリス、イタリア、カナダという主要7カ国とEUが集まるので、G7サミットといいます。

アメリカは、現在、中国に次いで世界で2番目に CO_2 を出していますが、2050年までにカーボンニュートラルをめざしています。まず、石炭火力発電を減らし、再生可能エネルギー（再エネ）を増やして、2035年までに電力をカーボンニュートラルにすることを目標としています。

再エネに適した広大な土地があります。南部のテキサス州や西部のカリフォルニア州では、風力と太陽光発電が盛んです。また、回収した CO_2 を海底下の地層に貯めるCCSを行うのに適した場所が、テキサス州の南の海にはあります。

●カーボンニュートラル（5章1節参照）／●CCS（5章2節参照）

02 ロシアはエネルギーをどうしているの？

原油や天然ガスが豊富でも海外との関係に課題

ロシアは日本の45倍の世界でもっとも広い国。全体としては寒冷で乾燥していて、寒暖の差が激しい大陸性の気候。東西の距離は1万1000kmにおよび、シベリア鉄道やバム鉄道で資源を輸送しています。資源の開発も厳しい自然環境の中で行われてきました。

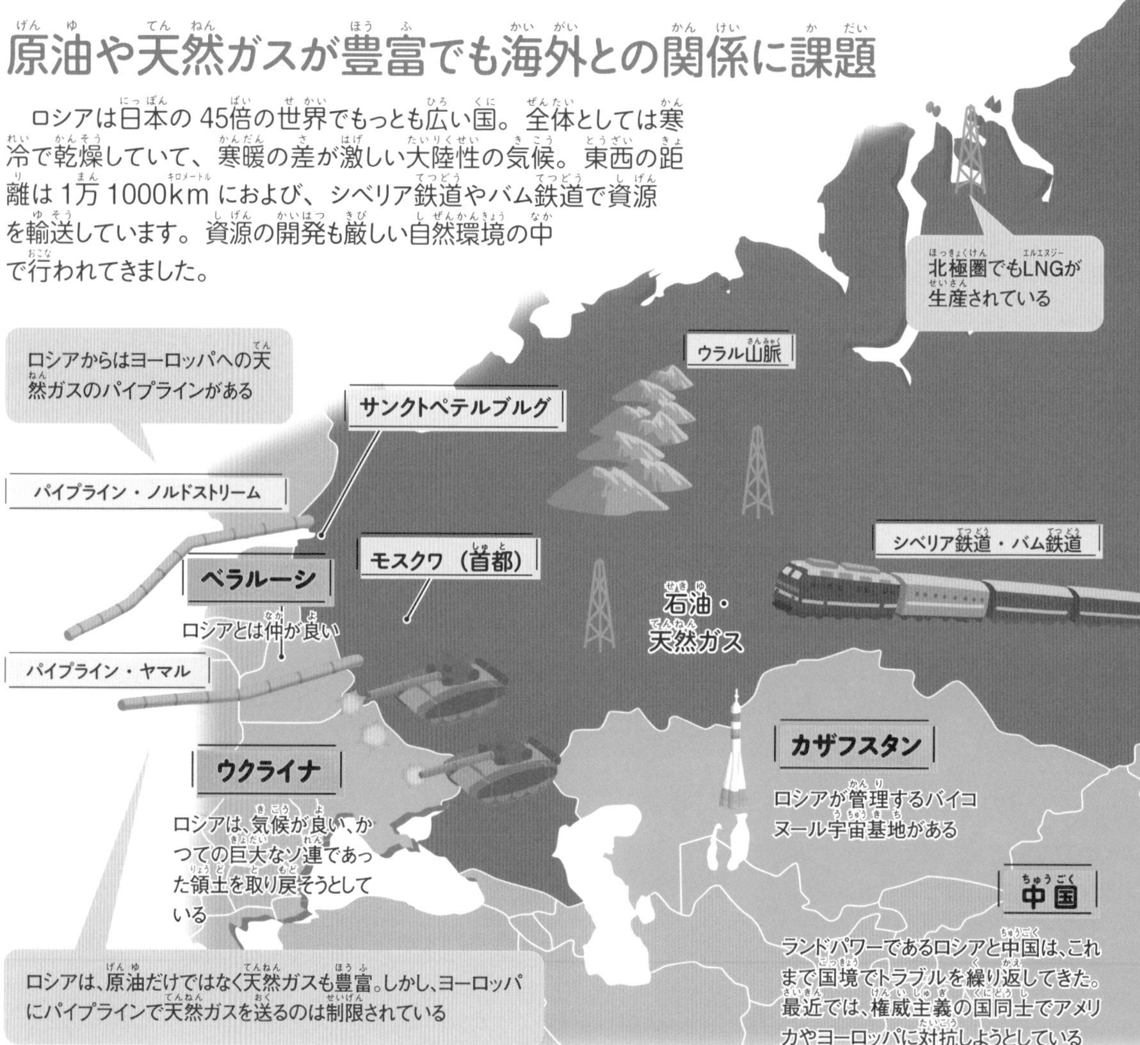
北極圏でもLNGが生産されている
ウラル山脈
ロシアからはヨーロッパへの天然ガスのパイプラインがある
サンクトペテルブルグ
パイプライン・ノルドストリーム
モスクワ（首都）
ベラルーシ
ロシアとは仲が良い
シベリア鉄道・バム鉄道
石油・天然ガス
パイプライン・ヤマル
カザフスタン
ロシアが管理するバイコヌール宇宙基地がある
ウクライナ
ロシアは、気候が良い、かつての巨大なソ連であった領土を取り戻そうとしている
中国
ランドパワーであるロシアと中国は、これまで国境でトラブルを繰り返してきた。最近では、権威主義の国同士でアメリカやヨーロッパに対抗しようとしている
ロシアは、原油だけではなく天然ガスも豊富。しかし、ヨーロッパにパイプラインで天然ガスを送るのは制限されている

ロシアは世界で最大の面積の国で16の国と国境を接し、160の民族が住んでいます。ユーラシア大陸の中核であるハートランドを領土とし、周りの国に侵攻してきた、まさに、ランドパワーの国で、権威主義の国でもあります。海外にエネルギーを輸送するには、日本に近い東側かヨーロッパのある西に運ぶ、あるいは、中国や旧ソ連（CIS）の国々に輸出することになります。これからは、北極海を通る北極海航路が使えるかも知れません。

ロシアの原油生産量は、アメリカ、サウジアラビアに次いで、世界で3位であり、OPECプラスの主要メンバーです。天然ガスの生産量はアメリカに次いで2位で、多くを輸出しています。また、原子力発電の燃料では世界の半分を製造しています。

●ランドパワー（0章3節参照）／●権威主義（4章1節参照）／●OPECプラス（1章3節参照）

ロシアとCISは関係があるの？

1991年にソビエト社会主義共和国連邦（ソ連）を構成していた共和国が次々と独立を宣言しました。そして、ソ連は崩壊し、中核をなしていた部分がロシア連邦となりました。その後、ロシアが中心となり、ソ連を構成していた一部の9カ国によりでき上がった国家連合が独立国家共同体（CIS）です。

ロシアはハートランドを領土するランドパワーの国。広大な領土と豊富な資源があり、歴史的にも陸上からくる脅威に悩まされてきたので、先に周りの国を攻撃しようとする。そのためか、権威主義の国で独裁的なリーダーが多いね
ヨーロッパやアメリカからは嫌われてしまった。でも、領土は大切さ。それに、原油も天然ガスもたくさんあるから、どんどん売るよ
ロシアは資源が豊富な東方に大いに関心がある
パイプライン・シベリアの力
モンゴル
LNG
日本へは、サハリンから天然ガスをLNG（液化天然ガス）にして輸出している
天然ガスをヨーロッパに送るのは制限されているが、一方で中国や中央アジアにはパイプラインで多量に輸出している
日本

ウクライナ侵攻が始まる前までは、原油と天然ガスをヨーロッパや日本に大量に輸出していました。その後、ヨーロッパは原油と天然ガスの輸入禁止に踏み切りました。また、日本への原油輸出も大幅に減っています。しかし、中国やCISに積極的に輸出しています。ロシアは、自国にエネルギーが豊富にあるので、それを他国に対する武器にしているのです。

ロシアは、2060年までにカーボンニュートラルを実現するとしていますが、再生可能エネルギー（再エネ）の導入はあまり進んでいません。再エネの中では、水力発電が中国、カナダ、ブラジル、アメリカに次いで多いのです。

03 中国はエネルギーをどうしているの？

石炭が中心だが、再エネを急速に増やしている

エネルギーの中心は国内の石炭ですが、急速に太陽光発電や風力発電を増やしています。水力発電、太陽光発電、風力発電、それぞれが世界でもっとも多く発電しています。

モンゴル
太陽光発電・風力発電
天山山脈
キルギス
タクラマカン砂漠
石油・天然ガス
西安
ネパール
インド

中国は世界の中心さ。経済大国、軍事大国、それに、再エネの機器をつくる産業やそのための材料供給は世界一。アメリカに抑えつけられないよう、太平洋に出ていくよ

中国は、国内にエネルギーがたくさんあるけれど、人口が多いので大変。まだまだ、石炭を使っている

中国はインドに次いで人口が多く14億人がおり、56の民族が住んでいます。また、世界でもっとも多くのエネルギーを使っています。その半分は国内で採れる石炭なので、CO_2の排出量は世界でもっとも多いのです。原油や天然ガスも生産されていますが、使う量の半分以上を輸入しています。

1949年から中国共産党が支配する中華人民共和国となり、今やアメリカに次ぐ経済規模の大国になりました。日本とは政治体制が全く異なる権威主義の国で、両国間にはさまざまな問題がありますが、日本にとって最大の貿易相手国です。また、台湾（中華民国）は民主主義の国ですが、中国は、中国の一部と主張しており、安全保障の点から不安があります。

中国は、昔から内陸を治めていくランドパワーの国でしたが、近年、シーパワーも強めてきました。フィリピンやベトナム沿岸にまでおよぶ南シナ海を領海として主張し、複数の航空母艦を持ち、海軍力を強めています。中東から原油を日本に運ぶ際にも、タンカーはこの海域を通るので、不安です。ランドパワーとシーパワーの両方をめざしてうまくいくでしょうか。

●権威主義の国（4章1節参照）／●ランドパワー（0章3節参照）

パイプライン・シベリアの力
北京（首都）
石炭
上海
日本
第一列島線
台湾
九段線
太陽光発電のパネルを輸出、そのためのポリシリコンなどの原料も製造
電気自動車（EV）・太陽光パネルなど
世界の電気自動車（EV）の半分は中国製
中国は、軍事的防衛ラインとして第一列島線を設定したんだ
また、九段線の内側の南シナ海は中国のものだと主張して、人工の島を造り、軍の基地にしているよ
さらに、南太平洋諸島にも投資をして太平洋に勢力を拡大しようとしているから注意しないとね

一帯一路ってなんだろう？

2013年に中国の国家主席である習近平氏が提唱した中国の大戦略。「一帯」は、ユーラシア大陸からヨーロッパに陸路でつながるシルクロードのルート上の地域、「一路」は、中国沿岸部から東南アジア、アラビア半島に抜ける海上ルート上の地域を指します。

それら地域の陸海拠点の建設と地域の開発をめざしています。中国からの投資に期待する国々がある一方、中国の影響力を警戒する国も多くあります。また、「一帯」と「一路」を結ぶ、ミャンマーから中国につながる天然ガスと石油のパイプラインもあります。

日本は、建設プロジェクトごとに、協力するに相応しい案件には協力するようにしています。

現在は石炭火力発電がおもな電源ですが、2060年までにカーボンニュートラルをめざしています。太陽光発電では、装置の主要部分（太陽光パネル）は、世界の80％以上が中国製です。また、世界の半分以上の電気自動車（EV）をつくっています。これら技術に欠かせないレアアースの多くを生産しており、他国への脅しにも使っています。

●レアアース（5章4節参照）

04 オーストラリアはエネルギーをどうしているの？

資源が豊富で信頼できる国

オーストラリアは、中央から西部にかけて太陽光が豊富な土地が広がっています。太陽光発電や風力発電を大幅に増やそうとしています。

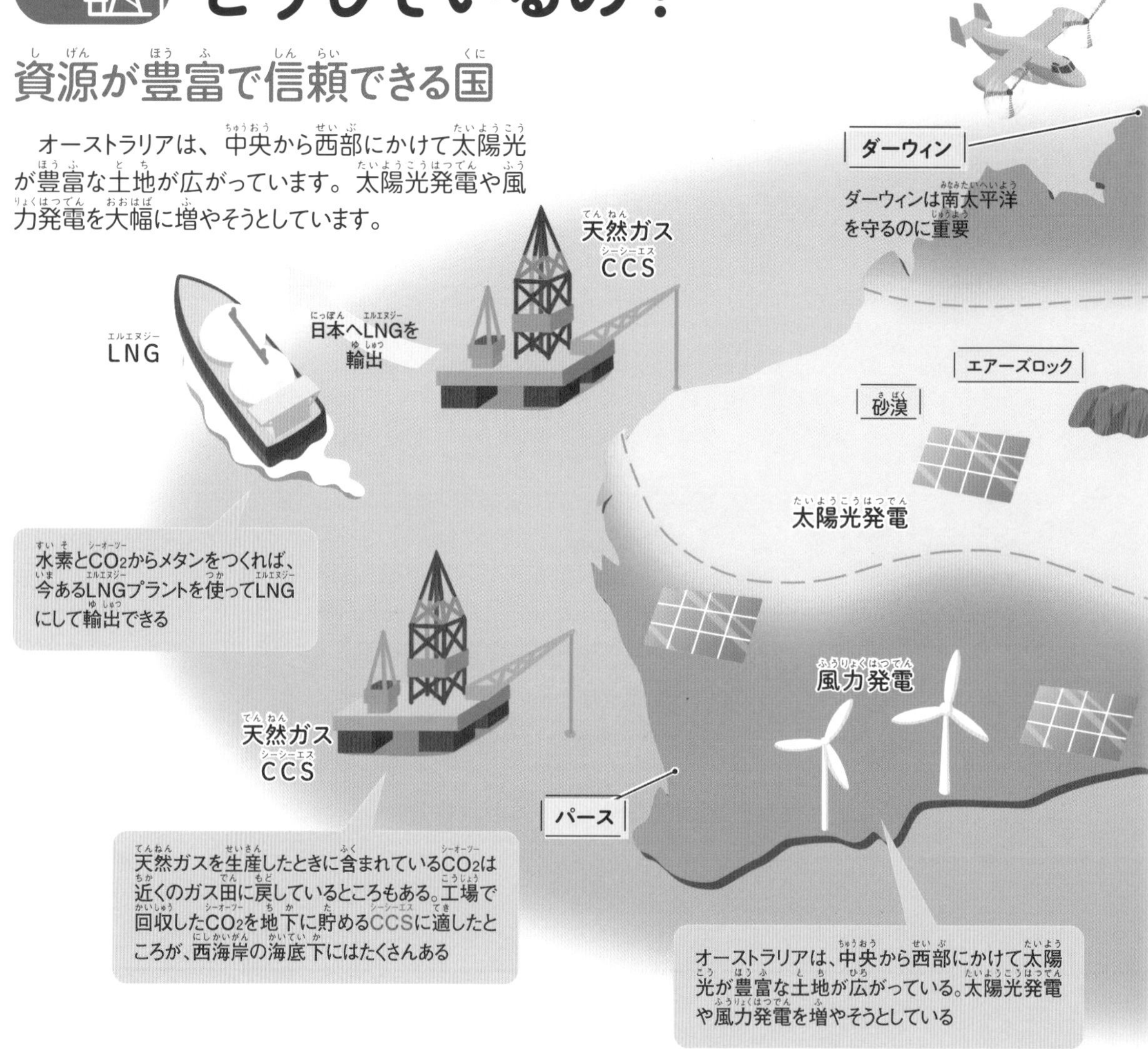
ダーウィン
ダーウィンは南太平洋を守るのに重要
天然ガス
CCS
日本へLNGを輸出
LNG
エアーズロック
砂漠
太陽光発電
水素とCO_2からメタンをつくれば、今あるLNGプラントを使ってLNGにして輸出できる
天然ガス
CCS
風力発電
パース
天然ガスを生産したときに含まれているCO_2は近くのガス田に戻しているところもある。工場で回収したCO_2を地下に貯めるCCSに適したところが、西海岸の海底下にはたくさんある
オーストラリアは、中央から西部にかけて太陽光が豊富な土地が広がっている。太陽光発電や風力発電を増やそうとしている

オーストラリアは日本の約 20倍の大地に 1/5の少ない人口、かつ天然ガス、石炭、鉱物資源が豊富な国です。19世紀からイギリスの植民地でしたが、1901年にオーストラリア連邦が誕生しました。イギリス連邦の一員で、インド太平洋戦略の中心にあり、民主主義や防衛関係を共有しているので、日本にとって大切な国です。

日本は、石炭とLNG、鉄の原料である鉄鉱石、アルミニウムの原料であるボーキサイトをオーストラリアからもっともたくさん輸入しています。一方、オーストラリアは、このような資源があるものの、使っている石油のほとんどを輸入するなど、周りの国に頼っている面もあります。

●CCS（5章2節参照）／●イギリス連邦（4章8節参照）／●インド太平洋戦略（4章10節参照）

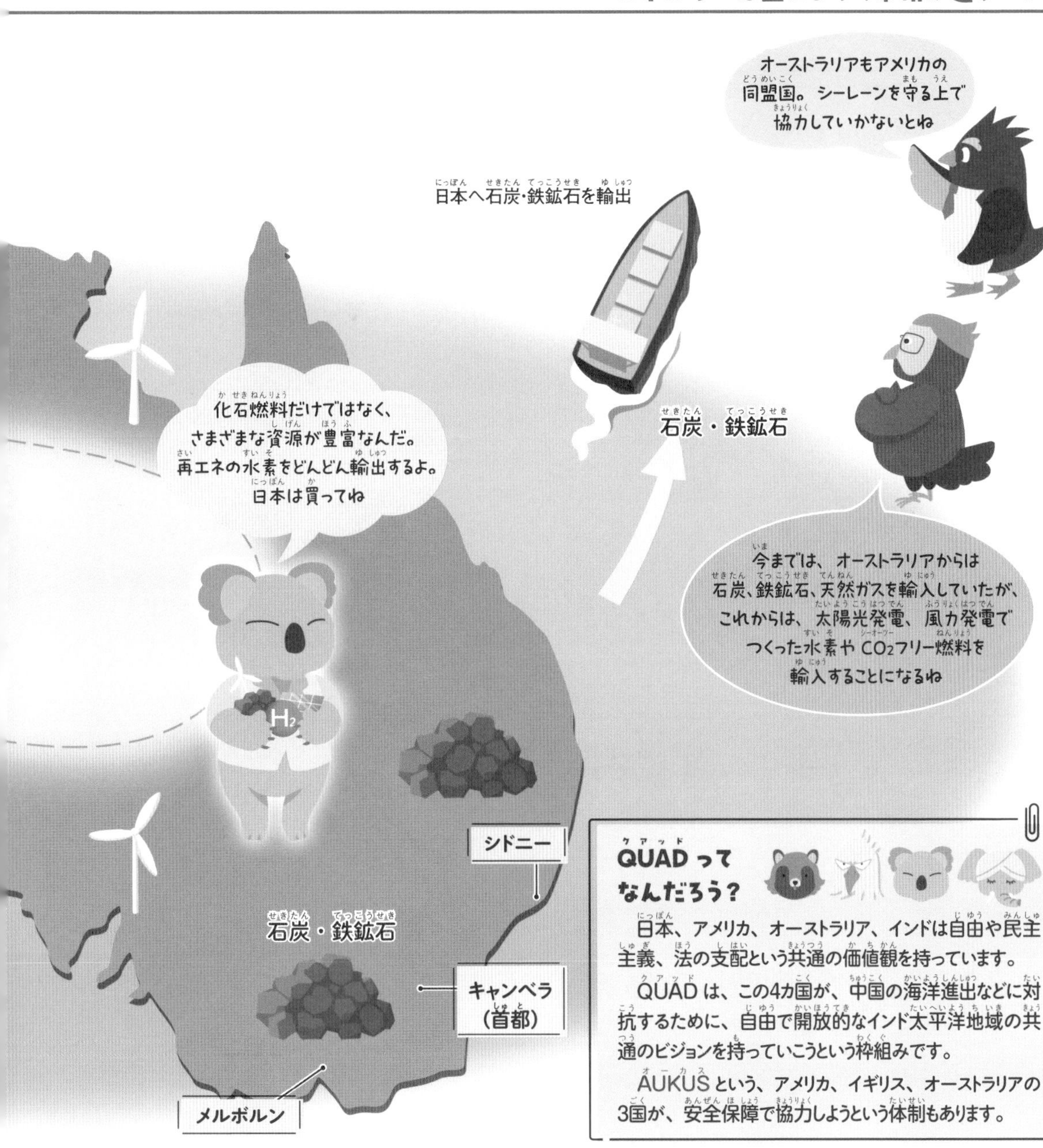
オーストラリアもアメリカの
同盟国。シーレーンを守る上で
協力していかないとね
日本へ石炭・鉄鉱石を輸出
化石燃料だけではなく、
さまざまな資源が豊富なんだ。
再エネの水素をどんどん輸出するよ。
日本は買ってね
石炭・鉄鉱石
今までは、オーストラリアからは
石炭、鉄鉱石、天然ガスを輸入していたが、
これからは、太陽光発電、風力発電で
つくった水素や CO_2 フリー燃料を
輸入することになるね
H_2
シドニー
石炭・鉄鉱石
キャンベラ
（首都）
メルボルン

QUADってなんだろう？

日本、アメリカ、オーストラリア、インドは自由や民主主義、法の支配という共通の価値観を持っています。

QUADは、この4カ国が、中国の海洋進出などに対抗するために、自由で開放的なインド太平洋地域の共通のビジョンを持っていこうという枠組みです。

AUKUSという、アメリカ、イギリス、オーストラリアの3国が、安全保障で協力しようという体制もあります。

中央部から西部にかけては雨が少ないので太陽光発電に適しており、沿岸近くには、多くの太陽光発電や風力発電の巨大なプロジェクトが計画されています。現在、国内の電力には石炭が使われていますが、急速に再エネに置き換わっていくでしょう。さらに、再エネ電力で水素やアンモニアのような CO_2 フリー燃料をつくり、日本などに輸出ができます。水素を使って鉄鉱石から鉄をつくることも考えられています。

また、CO_2 を地下に埋めるCCSに適したところもあります。

中東と比べて日本に近いし、日本との間にチョークポイントもほとんどないので、頼りになります。

●CO_2 フリー燃料（5章5節参照）／●CCS（5章2節参照）／●チョークポイント（0章4節参照）

05 ヨーロッパは国ごとで事情が違うの？

原油や天然ガス、風力発電が多い国などさまざま

イギリス

EUに属していない。北海の油田を開発して原油を生産していたが、量が減ってきた(4章8節)

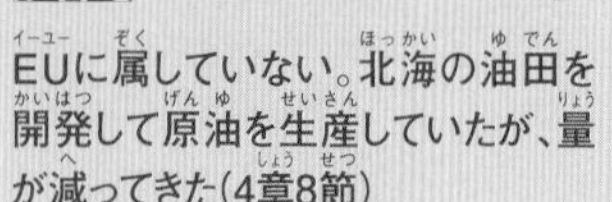

フランス

原子力発電が中心で、今後、再エネを増やしていく(4章6節)

スペイン

電力系統が他国とあまりつながっていない。太陽熱発電と風力発電の導入を早くから進めてきた。天然ガスは、アルジェリアからジブラルタル海峡を通るパイプラインや、アメリカからLNGとして輸入

オランダ

北海からの天然ガスの恩恵を得ている。ヨーロッパ最大の港であるロッテルダムでは、LNGを輸入、さらに将来に向けて、水素のインフラ整備を進めている(4章8節)

ドイツ

原子力をやめ、石炭火力発電も2030年に廃止する。北部の海岸線にある風力発電を中心に再生可能エネルギーの導入が進んでいる(4章7節)

イタリア

エネルギー資源に乏しく、80%を海外から輸入している。石炭火力と原子力を廃止し、太陽光発電を中心にしようとしている

ノルウェー

北海で天然ガスを生産してヨーロッパ各国に輸出している。一方で、国内の電力は、ほとんどが水力発電(4章8節)

ポーランド

自国で採れる石炭を使った発電が主要なエネルギーになるので、カーボンニュートラルを実現するのは大変

ウクライナ

ロシアの軍事侵攻に対して抵抗をしてきた。EUやNATOには入っていない

トルコ

ヨーロッパとアジアを結ぶ位置にあり、天然ガスパイプラインが集まっている。ロシアとも付き合いが深い

EUってなんだろう？

EUはEuropean Union（欧州連合）の略称です。経済的、政治的協力関係を持つ民主主義の国の集まりで27カ国が加盟しています。このことで、外交や政治で大国EUとしてふるまうことができます。

EUの多くの国では、EU内の輸出入に関税がかからず、また、パスポートなしでほかの国への移動や共通の通貨であるユーロを使うことができます。

ヨーロッパは、国ごとに地理、地形や天候、民族が違うね。それを考えた上で、お互いに仲良くしないとね

ヨーロッパには54の国があり、その内、欧州連合(EU)には27カ国が加盟しています。多くの国で通貨にユーロ（€）が使われています。これらの国は、地理、気候、民族、歴史もさまざまです。

軍事同盟である北大西洋条約機構（NATO）は、ヨーロッパにアメリカとカナダ、そしてトルコを加えた32カ国からなります。加盟国への武力攻撃をすべての加盟国に対する攻撃とみなし、兵力使用を含む反撃をする集団的自衛権により外部の脅威に対抗しています。

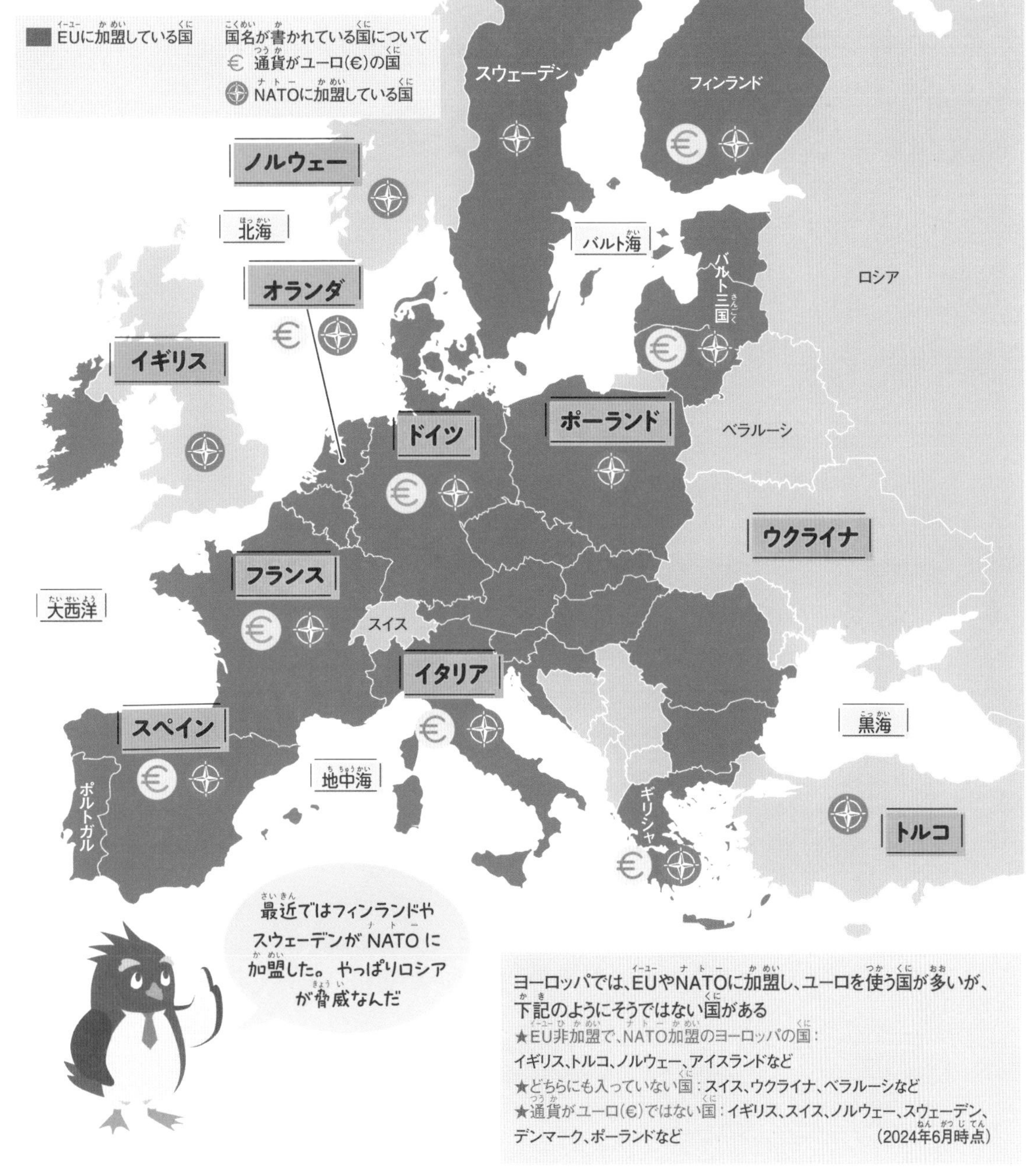
EUに加盟している国
国名が書かれている国について
€ 通貨がユーロ(€)の国
NATOに加盟している国
スウェーデン
フィンランド
ノルウェー
北海
バルト海
バルト三国
ロシア
オランダ
イギリス
ドイツ
ポーランド
ベラルーシ
ウクライナ
フランス
大西洋
スイス
イタリア
黒海
スペイン
地中海
ポルトガル
ギリシャ
トルコ
最近ではフィンランドやスウェーデンがNATOに加盟した。やっぱりロシアが脅威なんだ
ヨーロッパでは、EUやNATOに加盟し、ユーロを使う国が多いが、下記のようにそうではない国がある
★EU非加盟で、NATO加盟のヨーロッパの国：
イギリス、トルコ、ノルウェー、アイスランドなど
★どちらにも入っていない国：スイス、ウクライナ、ベラルーシなど
★通貨がユーロ(€)ではない国：イギリス、スイス、ノルウェー、スウェーデン、デンマーク、ポーランドなど
(2024年6月時点)

エネルギーについては、イギリスやノルウェー、オランダでは石油や天然ガスを生産しています。ポーランドは産出する石炭がおもなエネルギー源です。フランスのように、電気は原子力発電がおもな国もあります。

全体としては、イギリスを除く主要な国はEUに加盟しており、2050年のカーボンニュートラルを目標にしています。ヨーロッパは、カーボンニュートラルに向けて投資を積極的に進めて経済成長をめざしているのです。日本はEUとは協力して技術開発を進めたいですね。

06 フランスはエネルギーをどうしているの？

電力は原子力発電が中心

ヨーロッパの中では、イギリスとともに、国連安全保障理事会常任理事国で、核保有国です。イギリスがEU から脱退した現在、経済や政治の面で、ドイツとともに EU を強く引っ張っていくことが期待されています。

フランスは日本と同じように、国内に原油、天然ガス、石炭がない。だから、原子力に力を入れてきたんだ

フランスは、20世紀始めまでは、アフリカに多くの植民地を持っていた。今も、南太平洋やインド洋の島や南アメリカなどに領土があるんだ

ワインや飛行機だけじゃなく、原子力発電の電気も輸出するよ

ベルギー

ドイツ

パリ（首都）

電気
ヨーロッパ各国へ輸出

スイス

大西洋

原子力発電

スペイン

地中海

フランスには56基の原子力発電所がある。日本とは、原子力の分野で協力していこうとしている

ITER ってなんだろう？

南フランスでは、未来のエネルギーである核融合炉の大規模実験炉を、日本を含む6つの国とEUが共同で建設をしています。このプロジェクトは ITER と呼ばれています。炉の大きさは幅30m、高さ 30m と大きなものです。

フランスの人口は、日本の約半分です。農業が盛んで食料のほとんどを国内で生産されていて、ワインや牛乳などを EU 諸国に輸出しています。工業も発達していてエアバス社が旅客機も造っています。

日本と同じように石炭、原油、天然ガスの使う量のほとんどを輸入しています。1973年のオイルショック以降、原子力発電に力を入れ、電気の 70% を発電しています。電気は近隣の国にも輸出しています。

フランスはアフリカ北部、西部に多くの植民地を持っていました。そのつながりで、原油は、アルジェリアなどアフリカからの輸入が多いのです。

●オイルショック(1章3節参照)／●核融合炉(2章コラム参照)

07

ドイツはエネルギーをどうしているの？

風力発電を増やしている

ドイツは、第一、第二次世界大戦に破れ、昔からの領土を失いました。1949年には、自由主義・資本主義にもとづくドイツ連邦共和国（西ドイツ）と共産主義にもとづくドイツ民主共和国（東ドイツ）ができました。1989年に、それまで、両国民の行き来を妨げていたベルリンの壁が崩され、1990年に一つの国に戻りました。

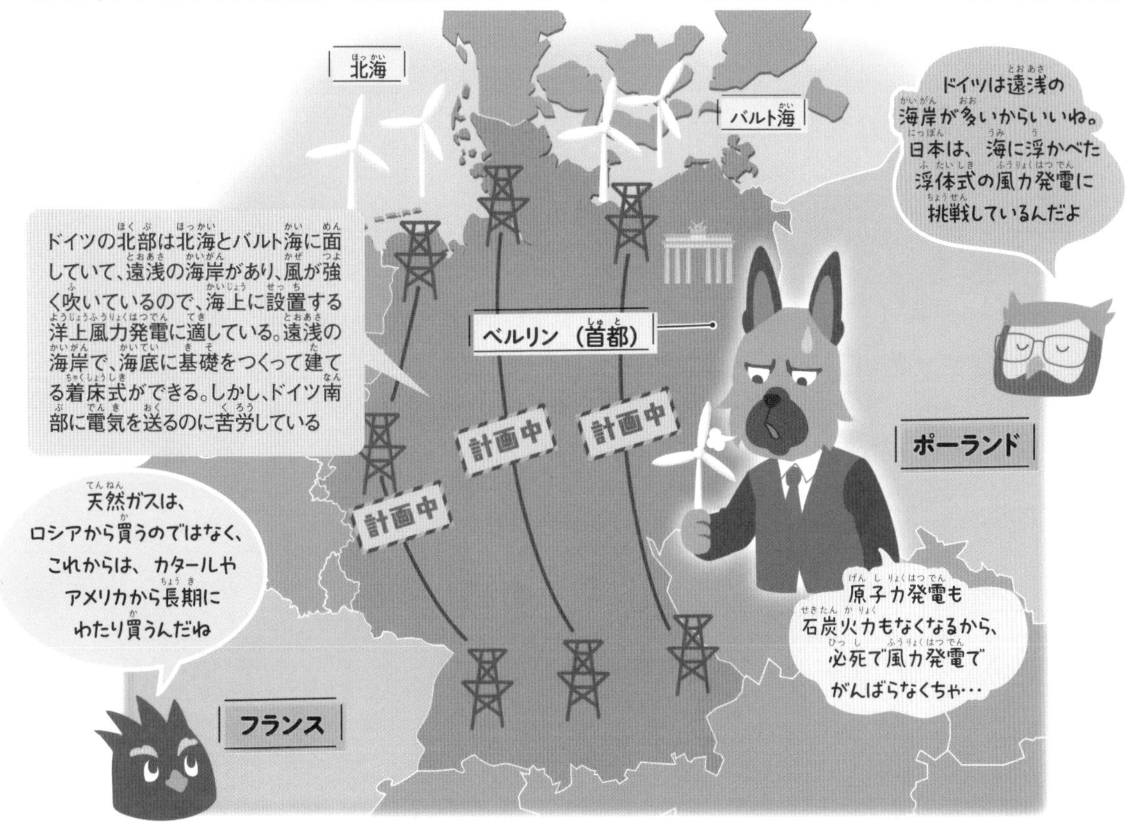
北海
バルト海
ドイツは遠浅の海岸が多いからいいね。日本は、海に浮かべた浮体式の風力発電に挑戦しているんだよ
ドイツの北部は北海とバルト海に面していて、遠浅の海岸があり、風が強く吹いているので、海上に設置する洋上風力発電に適している。遠浅の海岸で、海底に基礎をつくって建てる着床式ができる。しかし、ドイツ南部に電気を送るのに苦労している
ベルリン（首都）
計画中
計画中
計画中
ポーランド
天然ガスは、ロシアから買うのではなく、これからは、カタールやアメリカから長期にわたり買うんだね
原子力発電も石炭火力もなくなるから、必死で風力発電でがんばらなくちゃ…
フランス

ドイツは日本の人口の 2／3くらい、面積は同じくらいです。自国で生産される石炭で発電をしてきましたが、CO_2削減のために、石炭火力を 2030年には廃止する予定です。また、原子力発電も、2023年にすべて停止しました。

それを実現できたのは、風力発電を中心に再生可能エネルギー（再エネ）を積極的に増やし、電力の半分が再エネになっているからですが、電気代は高いです。その結果、エネルギー自給率は 30% 程度と、日本より高いのです。また、ドイツは、ヨーロッパの国と送電線がつながっているので、再エネが減ったときにも国内で電力が不足するのを防げます。

一方、天然ガスはロシアからのパイプラインを使って輸入してきたので、パイプラインが使えなくなってからは、天然ガスを得るのに苦労しています。

●エネルギー自給率（1章4節参照）

08 イギリスはエネルギーをどうしているの？

原油から再エネと原子力に替えようとしている

イギリスはシーパワーの国

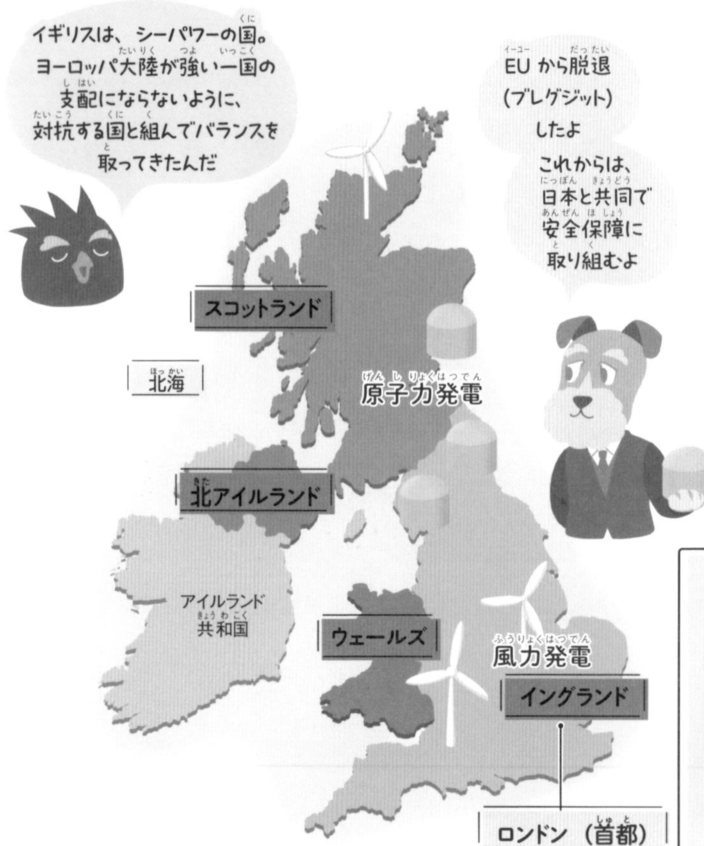

イギリスは、シーパワーの国。ヨーロッパ大陸が強い一国の支配にならないように、対抗する国と組んでバランスを取ってきたんだ
EU から脱退(ブレグジット)したよ
これからは、日本と共同で安全保障に取り組むよ
スコットランド
北海
原子力発電
北アイルランド
アイルランド共和国
ウェールズ
風力発電
イングランド
ロンドン（首都）

イギリスの正式の国名が、グレートブリテン及び北アイルランド連合王国であるように、ロンドンのあるイングランド、北部のスコットランドなど4つの国と地域が集まった連合王国(UK)。また、日本と同じように王室がある。
イギリスは、江戸時代にポルトガルの言葉で使われていた呼び名に由来しているので、海外では通じない。海外ではUKと呼ぼう

イギリス連邦ってなんだろう？

19世紀に大きくなったイギリス帝国（大英帝国）の領土であった国で構成される国の連合。コモンウェルスとも呼びます。

英語を使い、民主主義・人権・法の支配といった共通の価値観を有しています。オーストラリア、カナダ、インド、ニュージーランド、ナイジェリアなど56カ国です。

イギリスは、日本の人口の約半分、面積は２／３くらいです。2020年にEUを脱退しました。英語でブレグジットと呼ばれています。

イギリスはシーパワーの代表的な国。16～17世紀の大航海時代には、海洋大国として世界に君臨し、その後も、植民地を増やしてきました。今も、イギリス連邦であるオーストラリアをはじめとして多くの国と強い結びつきがあり、それらを踏まえた外交力があります。

ノルウェーとイギリスの間にある北海で油田を開発し、原油の生産国になりました。北海油田が北部のスコットランドのエリアにあることもあって、スコットランドではイギリスから独立しようという運動がありました。資源はナショナリズムに関係しますね。

●シーパワーの国(0章3節参照)

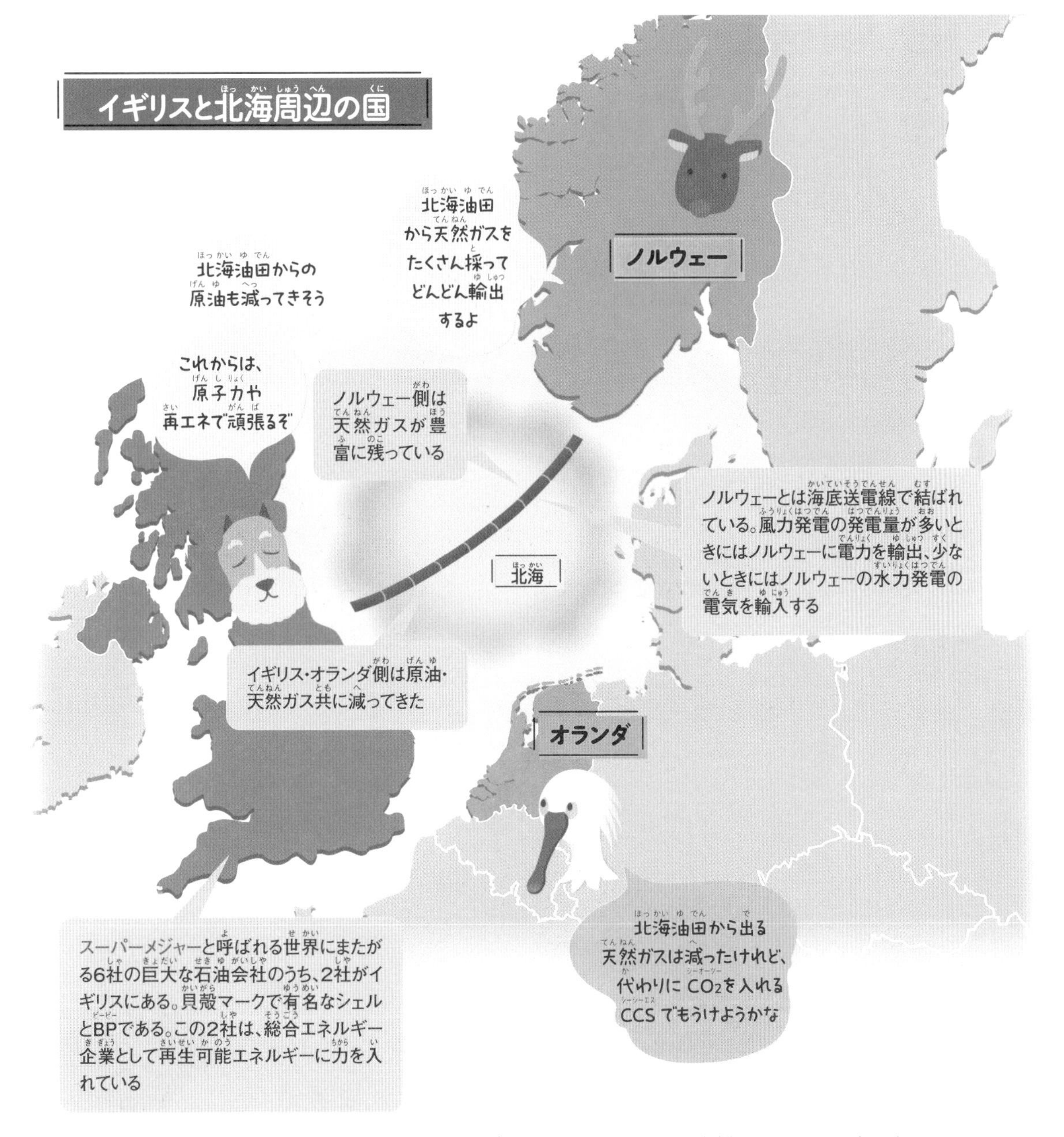
イギリスと北海周辺の国
北海油田
から天然ガスを
たくさん採って
どんどん輸出
するよ
北海油田からの
原油も減ってきそう
ノルウェー
これからは、
原子力や
再エネで頑張るぞ
ノルウェー側は
天然ガスが豊
富に残っている
ノルウェーとは海底送電線で結ばれている。風力発電の発電量が多いときにはノルウェーに電力を輸出、少ないときにはノルウェーの水力発電の電気を輸入する
北海
イギリス・オランダ側は原油・
天然ガス共に減ってきた
オランダ
北海油田から出る
天然ガスは減ったけれど、
代わりに CO2を入れる
CCS でもうけようかな
スーパーメジャーと呼ばれる世界にまたがる6社の巨大な石油会社のうち、2社がイギリスにある。貝殻マークで有名なシェルとBPである。この2社は、総合エネルギー企業として再生可能エネルギーに力を入れている

北海油田では、イギリスよりの北部でおもに原油が、南部では天然ガスが採れます。また、ノルウェーとオランダの近くではおもに天然ガスが採れます。イギリスは、2005年までは原油の輸出国であったのですが、それ以降は、生産量が下がり海外から輸入するようになりました。

また、天然ガスはノルウェーから輸入しており、エネルギーの自給率は75%程度に下がっています。当面、国内で原油と天然ガスを生産するものの、カーボンニュートラルに向けて、太陽光発電に限らず、原子力や洋上風力発電をしっかりと増やしていく計画です。

また、北海の使い終わった油田やガス田などに、CO_2を入れる計画を進めています。

●エネルギー自給率（1章4節参照）／●スーパーメジャー（1章コラム参照）

09 中東はエネルギーをどうしているの？ －ペルシャ湾周辺－

原油後の世界でも発展できる準備を進めている

中東は原油と天然ガスの国

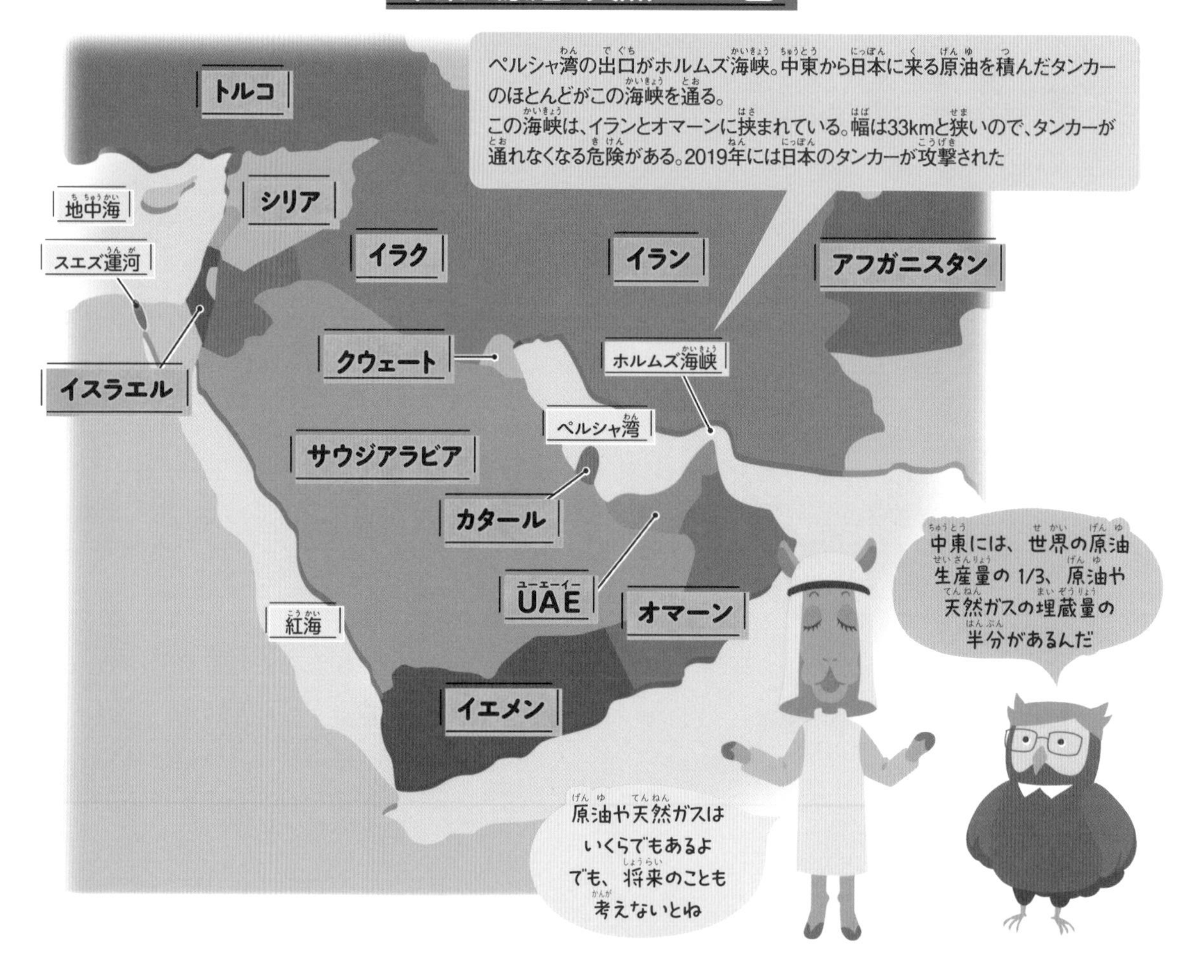

ペルシャ湾の出口がホルムズ海峡。中東から日本に来る原油を積んだタンカーのほとんどがこの海峡を通る。
この海峡は、イランとオマーンに挟まれている。幅は33kmと狭いので、タンカーが通れなくなる危険がある。2019年には日本のタンカーが攻撃された
トルコ
地中海
シリア
スエズ運河
イラク
イラン
アフガニスタン
クウェート
ホルムズ海峡
イスラエル
ペルシャ湾
サウジアラビア
カタール
UAE
オマーン
紅海
イエメン
中東には、世界の原油生産量の1/3、原油や天然ガスの埋蔵量の半分があるんだ
原油や天然ガスはいくらでもあるよ でも、将来のことも考えないとね

中東は、一般的に東はアフガニスタン、西はトルコ、その間に広がる15カ国からなる国々を指します。ヨーロッパから見て、東の少し離れたところにあるからこのように呼ばれているのです。この地域では、ユダヤ教、キリスト教、イスラム教が生まれました。イスラエルとレバノン以外は国の宗教がイスラム教です。また、地政学的にはリムランドに位置しているといえます。

サウジアラビア、イラン、イラク、クウェート、UAEには原油が豊富にあり、世界で有数の生産量を誇っています。原油生産国では天然ガスも生産されています。一方、カタールでは原油は少ないですが、天然ガスが豊富にあります。

●リムランド（0章5節参照）

国ごとに事情が異なる

サウジアラビア

中東最大の国で原油の生産量、埋蔵量が中東でもっとも多い。イスラム教の聖地、メッカがある。OPECプラスでもっとも影響力がある国。
将来に向けて、100％再生可能エネルギーのNEOMという全長170ｋｍの巨大都市を造ろうとしている。ゲーム産業などエンターテイメント関連にも熱心

イラン

中東第二の大きさ、人口は約8,000万人と多い。ペルシャ帝国の歴史を引き継いでいる。天然ガスの生産量は世界で3位、中東では1位。イスラム教の宗派はシーア派で、スンニ派のサウジアラビアとは仲が悪い。アメリカとも仲が悪く、一方、ロシアとは関係が深い。また、各国に武器を供与している

カタール

天然ガスの生産量は、中東ではイランに次いで多い。クウェートより小さい国だが、首都ドーハでは、FIFAワールドカップを開催したり、国際会議を開催するなど、国際的にアピール。国営衛星放送の放送局であるアルジャジーラの本拠地

イラク

中東の中でサウジアラビアに次いで原油の生産量が多い。2003年にアメリカがイラクを攻撃したイラク戦争以降、過激派組織ＩＳによる不安定な状態が続いている

アラブ首長国連邦(UAE)

UAEは、アブダビやドバイなど7つの首長国からなるアラブ首長国連邦(United Arab Emirates)の略。中東の中では、サウジアラビア、イラクに次いで原油の生産量が多い。ドバイは、商業都市で観光でも有名

クウェート

日本の四国より小さい国。サウジアラビア、UAEに次いで三番目の原油の量を日本は輸入している。1990年にはイラクの軍隊が攻め込んだ湾岸戦争があった

オマーン

アラビア半島南東部の親日国である。ホルムズ海峡の外側にあるので、エネルギー安全保障の観点から重要な国

アラブと中東ってなにが違うの？

　アラブは中東地域の中でアラビア語を母国語とするアラブ人が多く住んでいる国で、アラビア半島のすべてと北アフリカのいくつかの国からなります。
　イランはペルシャ語、トルコはトルコ語、イスラエルはヘブライ語を話すのでアラブではありません。

　中東の国々は、現在は産出する原油と天然ガスに頼っていますが、カーボンニュートラルの世界を見据えて、水素などのCO_2フリーの燃料を輸出することを計画しています。中東は、日差しが強く砂漠状の平地が広がっており、太陽光発電により世界でもっとも安く発電ができるといわれています。

●OPECプラス(1章3節参照)／●CO_2フリーの燃料(5章5節参照)

10 中東はエネルギーをどうしているの？－紅海周辺－

輸送ルートをしっかり確保しようとしている

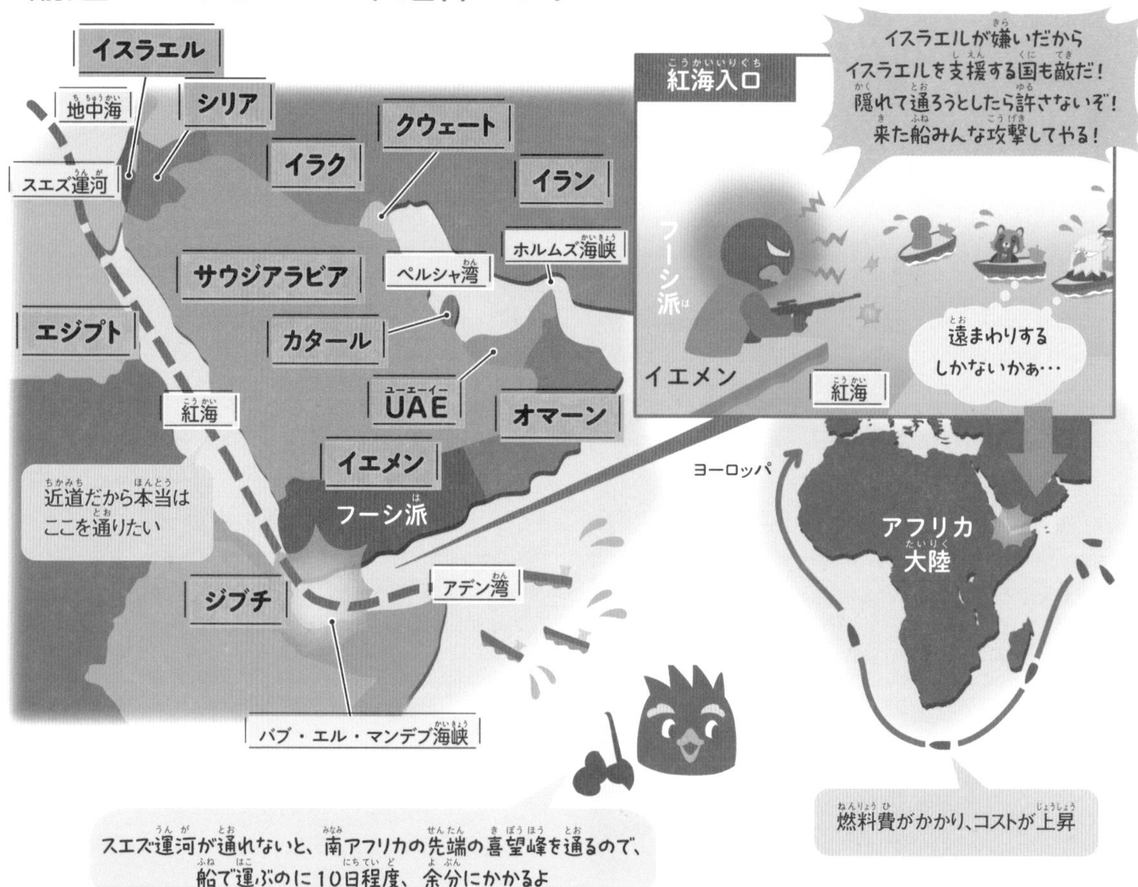

イスラエル
地中海
シリア
スエズ運河
クウェート
イラク
イラン
ホルムズ海峡
サウジアラビア
ペルシャ湾
エジプト
カタール
UAE
紅海
オマーン
イエメン
近道だから本当はここを通りたい
フーシ派
ジブチ
アデン湾
バブ・エル・マンデブ海峡
紅海入口
イスラエルが嫌いだから
イスラエルを支援する国も敵だ！
隠れて通ろうとしたら許さないぞ！
来た船みんな攻撃してやる！
フーシ派
イエメン
紅海
遠まわりするしかないかぁ…
ヨーロッパ
アフリカ大陸
燃料費がかかり、コストが上昇
スエズ運河が通れないと、南アフリカの先端の喜望峰を通るので、
船で運ぶのに10日程度、余分にかかるよ

紅海はアジアとヨーロッパを結ぶ重要な航路です。アデン湾からバブ・エル・マンデブ海峡、地中海とを結ぶスエズ運河のルートは世界の貨物の大動脈です。

世界にばらばらに住んでいたユダヤ人は迫害を受けてきました。第二次世界大戦後、1948年にパレスチナにユダヤ人の国、イスラエルをつくりました。そこにいたパレスチナ人は追い出され、ほかの地域に住み、対立しています。イスラエルはアメリカの支援を得ています。アラブの国はイスラエルに対抗し、何度か戦争になりました。中東戦争と呼びます。

最近では、イランが支援するイエメンの反政府武装組織であるフーシ派が、紅海の入口でイスラエルなどに貨物を運ぶ船を攻撃しています。以前から海賊の対処で、紅海の入口にある国、ジブチにアメリカ、中国、フランスの軍隊や、日本の自衛隊が駐留し、航海の安全を図っていましたが、活躍できているのか、その存在意義が問われそうです。

11

インドはエネルギーをどうしているの？

もっとも人口が多い国、インドとは仲良くしていこう

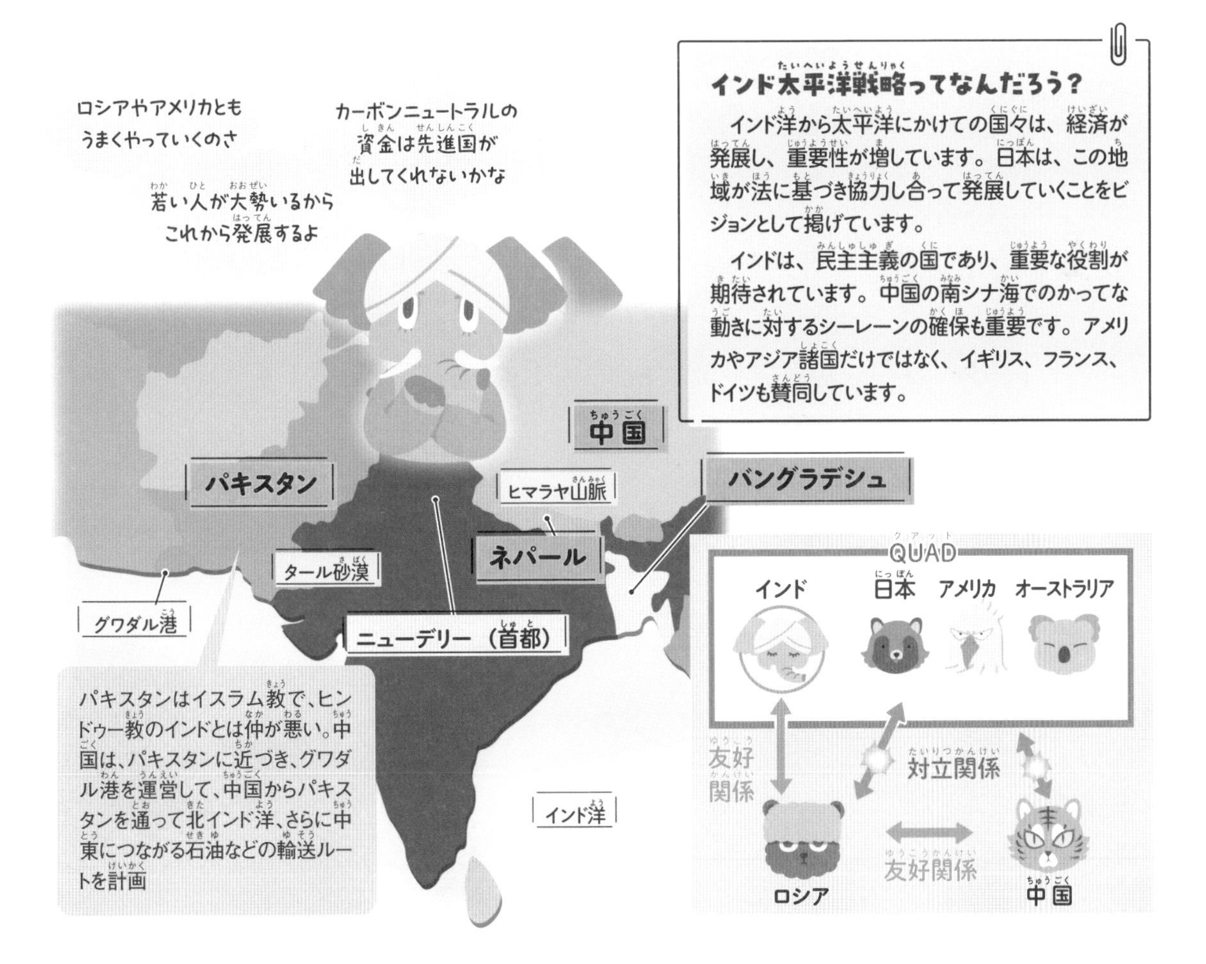
ロシアやアメリカとも
うまくやっていくのさ
カーボンニュートラルの
資金は先進国が
出してくれないかな
若い人が大勢いるから
これから発展するよ
中国
パキスタン
ヒマラヤ山脈
バングラデシュ
ネパール
タール砂漠
グワダル港
ニューデリー（首都）
パキスタンはイスラム教で、ヒンドゥー教のインドとは仲が悪い。中国は、パキスタンに近づき、グワダル港を運営して、中国からパキスタンを通って北インド洋、さらに中東につながる石油などの輸送ルートを計画
インド洋
QUAD
インド
日本
アメリカ
オーストラリア
友好関係
対立関係
友好関係
ロシア
中国

インド太平洋戦略ってなんだろう？

インド洋から太平洋にかけての国々は、経済が発展し、重要性が増しています。日本は、この地域が法に基づき協力し合って発展していくことをビジョンとして掲げています。

インドは、民主主義の国であり、重要な役割が期待されています。中国の南シナ海でのかってな動きに対するシーレーンの確保も重要です。アメリカやアジア諸国だけではなく、イギリス、フランス、ドイツも賛同しています。

インドには世界でもっとも多い14億人が住んでいます。面積は、世界で7番目、日本の8.7倍です。南はインド洋に面して歴史的に海洋貿易の起点となってきました。中東と東南アジアを結ぶシーレーンが通っています。

エネルギーを石炭と石油に頼っていて、CO_2排出量は世界で3番目に多いのです。原油は海外からの輸入が多く、近年は、ロシア産の原油を安い値段で輸入しています。再生可能エネルギーのポテンシャルは高く、中国よりも遅れて2070年にカーボンニュートラルを実現する計画です。

インドは、自由や民主主義といった共通の価値観を持ち、QUADに加わっています。中国との関係は悪いですが、ロシアから武器を買うなど、したたかな外交を行っています。

●QUAD（4章4節参照）

12 東南アジアの国々はエネルギーをどうしているの？

日本と協力して経済が急速に発展している

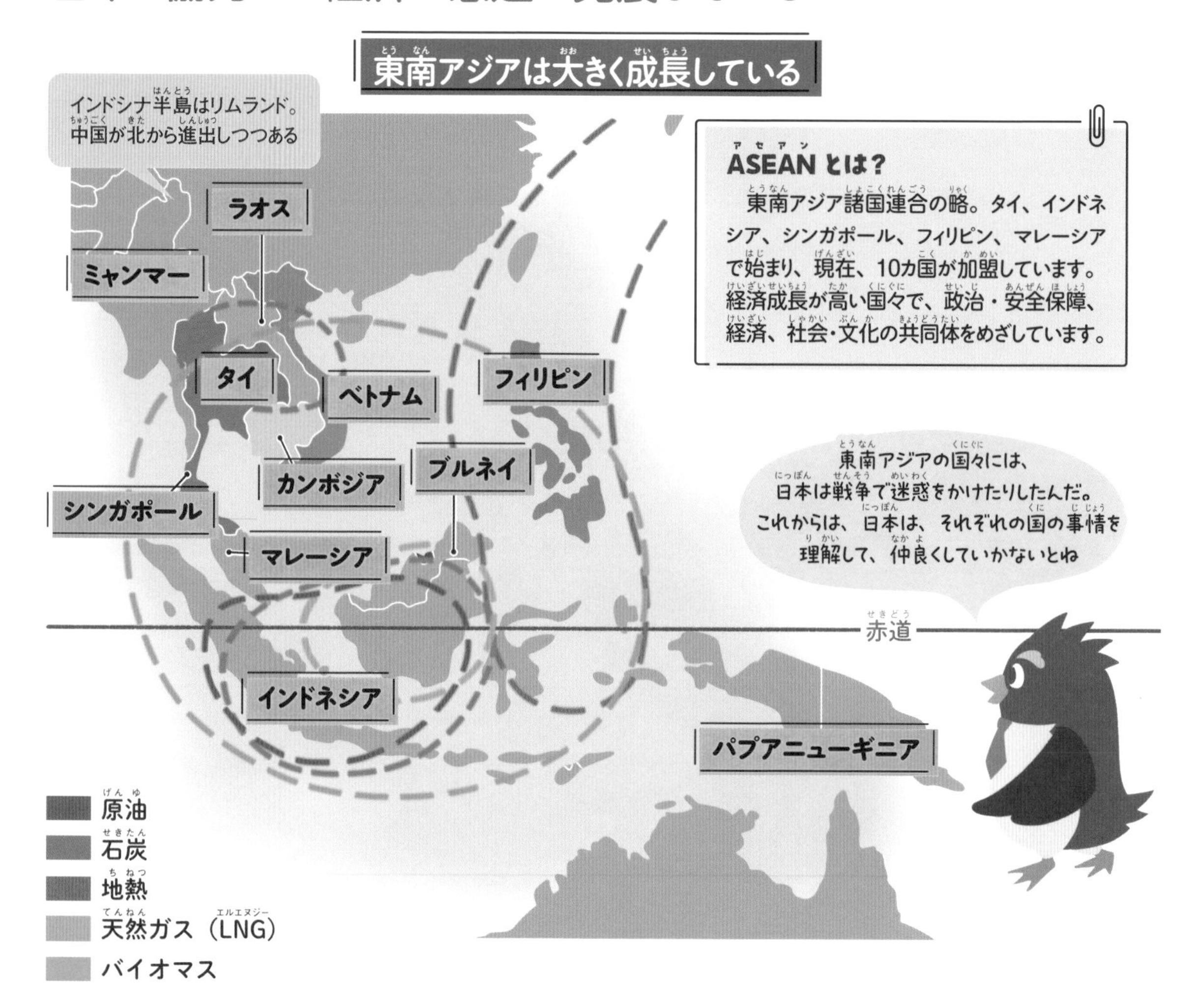

東南アジアは大きく成長している
インドシナ半島はリムランド。
中国が北から進出しつつある
ASEANとは？
東南アジア諸国連合の略。タイ、インドネシア、シンガポール、フィリピン、マレーシアで始まり、現在、10カ国が加盟しています。経済成長が高い国々で、政治・安全保障、経済、社会・文化の共同体をめざしています。
ラオス
ミャンマー
タイ
ベトナム
フィリピン
カンボジア
ブルネイ
シンガポール
マレーシア
インドネシア
パプアニューギニア
赤道
東南アジアの国々には、
日本は戦争で迷惑をかけたりしたんだ。
これからは、日本は、それぞれの国の事情を
理解して、仲良くしていかないとね
原油
石炭
地熱
天然ガス（LNG）
バイオマス

東南アジアは経済が大きく成長している国々が多く、ASEANという連合でともに発展しようとしています。日本に比較的近く、歴史的にもつながりが深いことから、日本にとって大切な友人です。

おもな宗教は、タイなど大陸は 仏教、インドネシアなど島々は イスラム教、その中でもバリ島はヒンドゥー教、フィリピンはキリスト教と多彩です。

原油や天然ガスは、東南アジア各国で生産されています。経済が成長していて自国で使う分が増えていますが、天然ガスはLNGとして輸出しています。石炭は、インドネシアで多く生産しており、日本はオーストラリアに次いで2番目の量を輸入しています。

●リムランド（0章5節参照）

国によって資源が異なる

原油

インドネシア、マレーシア、タイ、ベトナムで生産されているが、各国の経済成長につれて、国内で使う量が増え、輸出にまわす量はほとんどない

石炭

インドネシアは石炭生産量が、中国、インドに次ぐ世界第3位

地熱発電

インドネシアやフィリピンは環太平洋火山帯に位置していて火山がたくさんあり、地熱発電がさかん。多くの発電所が日本製

天然ガス

インドネシアやマレーシア、パプアニューギニア、ブルネイでは天然ガスが生産され、LNGとして日本に輸出している

バイオマス

東南アジアでは、パームオイルの原料であるアブラヤシの実やサトウキビの絞りカスなどのバイオマスがエネルギーとして使われる。パームオイルなどを増やすときには、熱帯雨林を開拓し農地を急激に増やして環境破壊にならないように注意

パームオイルの原料となるアブラヤシの実(インドネシア、スマトラ島)
小野崎撮影

国ごとに地理、
地形や天候、民族が違うね。
それを考えた上で、
お互いに仲良くしないとね

環太平洋火山帯ってなんだろう？

太平洋の周囲を囲む火山が集まっている地域で日本、フィリピン、インドネシアからニュージランド、南北アメリカの西海岸がその中にあります。そこには世界の活火山の6割があるのです。地熱発電に適しています。

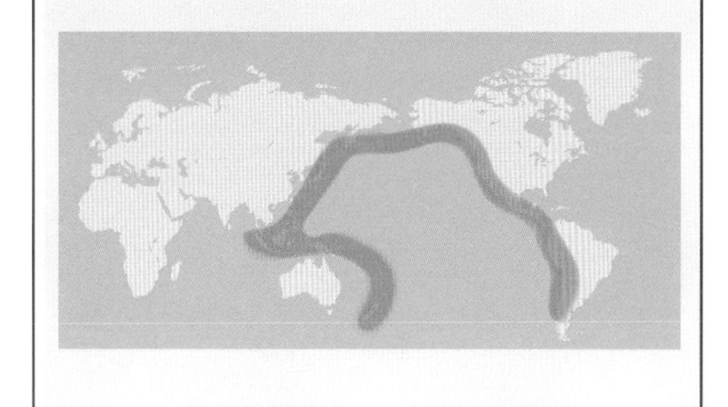

赤道近くでは、風が弱く風力発電は適していません。少し離れた地域では太陽光発電が適しています。また、バイオマスが豊富ですが、環境保護から、輸出を大幅に増やすのは難しいでしょう。

CO_2を昔の石油や天然ガスを生産した跡（井戸）に入れたり、地下の水の貯まっている地層に貯めるCCSの候補地もあります。

南シナ海では、中国は第一列島線とつながる九段線の内側全体が領海であると主張し、ベトナム、フィリピン、インドネシアと争っています。中国船による妨害が行われて危険な状況ですが、貿易などの経済面では中国に頼っており、国ごとにアメリカ、中国、日本とのバランスを意識して外交を行っています。このエリアを安全に使えるように、アメリカの支援を受けつつ、日本の役割を果たしていきましょう。

●少し離れた地域(3章5節参照)／●バイオマス(2章1節参照)／●CCS(5章2節参照)／●第一列島線(4章3節参照)／●九段線(4章3節参照)

13 そのほかの国々はエネルギーをどうしているの？

その国の特性を活用して経済発展をめざしている

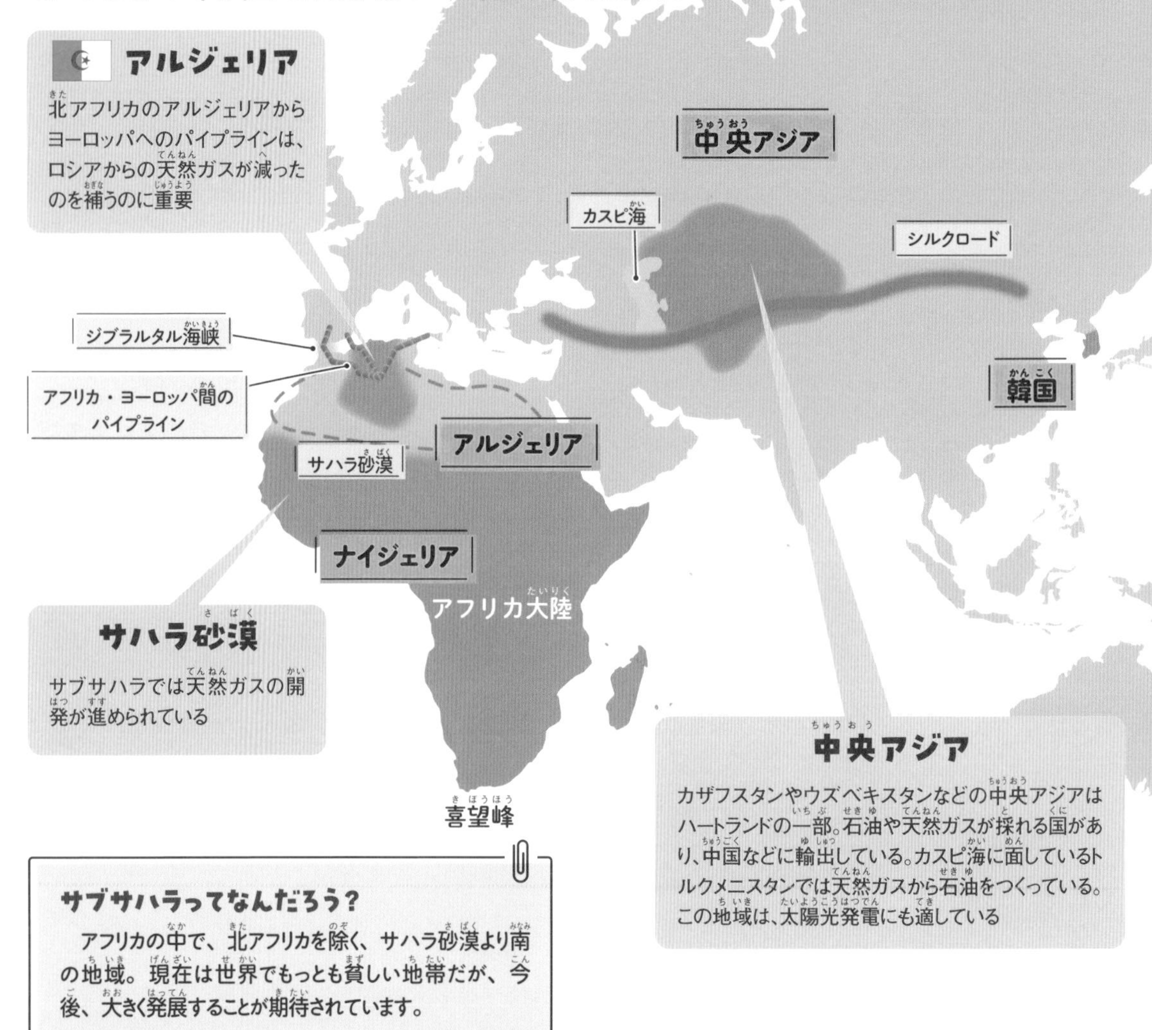
アルジェリア
北アフリカのアルジェリアからヨーロッパへのパイプラインは、ロシアからの天然ガスが減ったのを補うのに重要
中央アジア
カスピ海
シルクロード
ジブラルタル海峡
アフリカ・ヨーロッパ間のパイプライン
韓国
アルジェリア
サハラ砂漠
ナイジェリア
アフリカ大陸
サハラ砂漠
サブサハラでは天然ガスの開発が進められている
中央アジア
カザフスタンやウズベキスタンなどの中央アジアはハートランドの一部。石油や天然ガスが採れる国があり、中国などに輸出している。カスピ海に面しているトルクメニスタンでは天然ガスから石油をつくっている。この地域は、太陽光発電にも適している
喜望峰

サブサハラってなんだろう？

アフリカの中で、北アフリカを除く、サハラ砂漠より南の地域。現在は世界でもっとも貧しい地帯だが、今後、大きく発展することが期待されています。

アフリカには、国際連合（国連）で承認されている国が54カ国あります。気候も地形、歴史も異なります。原油を産出する国には、世界で15番目に産出量が多いナイジェリアを筆頭にアルジェリア、アンゴラ、リビアがありますが、生産量が徐々に減っています。天然ガスは、北アフリカのアルジェリアからヨーロッパ諸国へパイプラインで輸出しています。

再生可能エネルギーでは、3章5節で説明したように、ヨーロッパに近い北アフリカやサハラ砂漠の南側のサブサハラで太陽光発電が大いに期待できます。

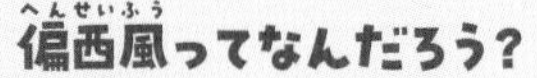

偏西風ってなんだろう？

偏西風は、緯度が35度から65度で西から東に常に吹いている風のことです。

日本の近くでは、北海道からサハリンのさらに北。南アメリカでは、南端に近いパタゴニア地方で特に強い風が常に吹いており、風力発電に適しています。

国ごとに地形、気候、資源が違って、豊富なエネルギーの種類も異なるから、世界でうまく使っていこうね

韓国

隣国である韓国は地政学的にはリムランド。エネルギーについては、日本と同じように輸入に頼っている。過去の歴史に囚われずに協力していくことが重要

ブラジル

ブラジルでは、サトウキビからつくったバイオエタノールが自動車用にガソリンとともに売られている。フレックス車というガソリンでもバイオエタノールでも走れる車が普及している

チリ

南アメリカでは、特にチリが太陽光発電と風力発電を増やすことに熱心。これら再エネを使ってCO_2フリー燃料をつくるプロジェクトを進めている

ベネズエラ
南アメリカ大陸
ブラジル
チリ
マゼラン海峡
パタゴニア地方

中央アジアは、その昔は、シルクロードで東洋と結ばれていた地域です。多くの国は、ソ連の一部でしたが、ソ連が崩壊してロシアになったときに独立した共和国になりました。これらの国はCISという共同体になっています。原油や天然ガスを生産し、輸出している国がありますが、海に面していないので、他国を通るパイプラインで輸出しています。

南アメリカでは、ブラジルとベネズエラが多くの原油を生産しています。アマゾンの熱帯雨林、ブラジルの熱帯性湿地などがあり、生物多様性に恵まれています。南アメリカの南端にあるパタゴニアと呼ばれる地域は、偏西風により風力発電のポテンシャルが高いです。

これらの国々とは、お互いに利益が生まれるように、うまく付き合っていくことが大切です。

●リムランド（0章5節参照）／●CO_2フリー燃料（5章5節参照）／●CIS（4章2節参照）

コラム

どうして世界秩序を守らなければならないの？

世界経済は海に依存している

EU

世界の平和は誰が守っているのでしょうか？

このような疑問にはなかなか答えにくいものがありますが、地政学的な視点からいえば、世界の平和は大国と呼ばれる国々が、お互いに戦わずとも牽制しあっている状態によって保たれているといえます。

その中でも、世界経済が自由に活動できている状態のカギを握るのがアメリカなどの「覇権国」という、大国の中でももっとも影響力の大きい国の存在です。そしてこの大国がグローバル公共財と呼ばれる世界の経済活動のインフラを支えていることが大事なのです。

そのインフラとは何でしょうか？　本書でいえばエネルギー資源をやりとりする海の航行の自由ということになりますが、これはまさにシーパワーの覇権国が支える、海をベースにした世界秩序が守られているからです。

日本はこの安定した世界秩序を支えるグローバル公共財の上にあって、健全かつ安定的な世界経済に依存して生きているからこそ、マーケットが安定し、国家の運営もスムーズに行くのです。

そうすることで、日本が生き残る確率が上がり、国民生活も安泰です。シーパワーに支えられた国際秩序は、われわれの手で守っていかなければならないのです。

5章

エネルギーを安全に使いつづけるためにはどうすればいいの？

01 カーボンニュートラルってなんだろう？

排出されるCO2と回収するCO2の量が同じ

CO2を出す量が増えてしまった場合

人間がCO2をたくさん出したので地球温暖化になっているんだ
これからは、世界が協力して減らしていかないとね

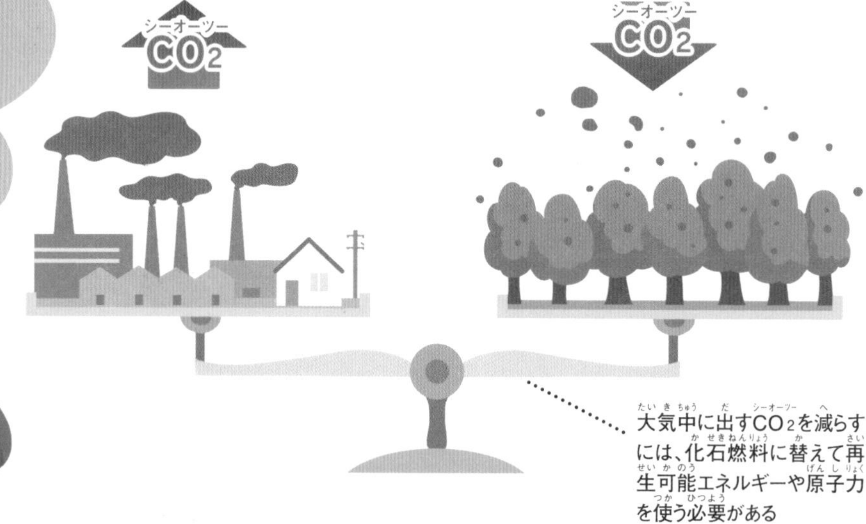

CO2
CO2
大気中に出すCO2を減らすには、化石燃料に替えて再生可能エネルギーや原子力を使う必要がある

カーボンニュートラルはCO2と関係があるの？

カーボンニュートラルは、地球温暖化の原因になっている温室効果ガス（GHG）を出す量と、大気から回収する量のバランスがとれている状態のことです。GHGには、CO2以外にメタンや一酸化二窒素など6種類のガスがあります。

日本ではGHGの内、CO2が90%を占めているので、ここではCO2をおもにあつかっています。また、一般にGHGの排出量は、CO2に換算して示しています。

カーボンニュートラルとは、大気に出るCO2の量と大気から回収するCO2の量が同じで、大気中のCO2の量が変わらない状態を指します。木材などバイオマスを燃料としていた時代は、CO2を吸収して育った植物を燃やすのでカーボンニュートラルの状態を保てました。

化石燃料を使うと大気に出るCO2が増えて、大気中のCO2が増え、地球温暖化が進みます。そのため、異常気象や自然災害が増えていると考えられています。地域によっては、干ばつで作物が育たず、生活ができなかったり、洪水で住む場所がなくなってしまった人達もいます。そうすると、地域や国どうしが争うことにもなるでしょう。

●バイオマス（2章1節参照）／●地球温暖化（1章1節参照）

CO_2は循環している

もともとは、CO_2を出す量と回収する量はバランスがとれていたが、産業革命以降、人間が化石燃料をたくさん使い出したため、CO_2を出す量が増えてしまった。その結果、大気中のCO_2が増えた
人間が息をはいて出すCO_2はどうなるの？
人間は植物や肉を食べている。肉は動物が植物を食べたもの。植物は、大気中のCO_2を吸収して育つので、人間が出すCO_2は元はといえば、大気中のCO_2なんだ
だから、人間が息をしていることはカーボンニュートラルになっているんだよ
CO_2
CO_2
植物
化石燃料
太陽光発電や風力発電なら発電のときにCO_2を出さないよね

COPってなんだろう？

国連気候変動枠組条約締約国会議（Conference of the Parties）の略称で、地球温暖化に対応するために、世界の国々が毎年集まって、きちんと対策を進めているか、協力してどう進めるかを議論する会議のことです。

1992年に始まり、2023年には28回目のCOP28が中東のUAEで開催されました。そこでは、「この10年で脱化石燃料化を加速する」ことと、「 2035年までに世界全体で温室効果ガス(GHG)を2019年に比べて60%削減する」ことを合意しました。

世界の平均気温は、18世紀後半から19世紀前半におきた産業革命のころから上がり始め、現在、1.2℃上がっています。一方で、1.5℃に抑えないと、温暖化によりひきおこされる災害が急速に増すといわれています。

各国が参加しているCOPという会議で、いかにCO_2を減らすか相談して、各国は減らす目標を宣言しています。先進国は、2050年までにカーボンニュートラルを実現することを宣言しました。また、CO_2をもっとも出している中国は、2060年までに実現するといっています。すべての国が協力して進めなければなりません。

02 カーボンニュートラルを実現するにはどうしたらいいの？

再生可能エネルギーを使うだけではない

CCSやDACってなんだろう？

CCS技術
化石燃料をまったく使わないようにするのは、実際には難しい。燃やして出るCO_2を回収して地下に埋めて大気中に出ないようにする技術をCCSという

ネガティブエミッション技術

化石燃料を使う量を減らしても、CO_2のバランスをとれないので、CO_2を出すよりCO_2を回収する量が多いネガティブエミッションという技術を使う。大気中のCO_2を直接回収するDACとCCSを組み合わせるのもその1つの方法。また、海の海藻類でCO_2を吸収するブルーカーボンという取り組みもある

DAC技術

大気からCO_2を回収する直接空気回収技術（DAC：Direct Air Capture）

カーボンニュートラルの実現には、大気に出るCO_2を減らすとともに、大気中からCO_2を回収します。大気に出るCO_2を減らすには、再生可能エネルギー（再エネ）や原子力を使います。世界で太陽光発電や風力発電を、今後、今の何倍にもする必要があります。

また、工場から出るCO_2を回収して地下に埋めるCCSも重要な技術です。日本には適当な場所があまりないので、海外で埋めることも考えています。

大気中のCO_2を直接回収するDACという技術があります。大気中のCO_2は薄いので、回収にはお金がかかり過ぎますが、将来、技術が進歩して広く使われるようになるでしょう。ほかにも、海でのCO_2吸収を増やしたり、土の中の炭素を増やしたりする方法が検討されています。

カーボンプライシングってなんだろう？

会社が出すCO_2に価格を付けて、できるだけCO_2を出さないようにするしくみです。
CO_2を出す量に応じて税金をかけたり、CO_2を減らした量を取り引きするなど、さまざまな方法があります。
EUでは何年も前からCO_2の取り引きをしています。日本でも始まりました。

炭素税

政府が、出たCO_2に値段をつけて、出した者から税金を徴収する

炭素国境調整措置（CBAM）

CO_2を多く出して製品をつくっている国から輸入するものについて、CO_2を出している量に応じて税金などをかける。EUが世界に先駆けて始めようとしている

カーボンクレジット

きちんと管理した森林で吸収したCO_2や、省エネや再エネを使って減らしたCO_2の量を、減らす目標を達成するために買い取る制度。国際的にも使える方法

排出権取引制度

はじめに決めた目標値と実際に出した量の差を、出したところどうしで取り引きする

GXってなんだろう？

グリーントランスフォーメーション（Green Transformation）の略称です。おもに、日本政府が進めているCO_2を減らす取り組みを指しています。

CO_2を減らすにはお金がかかります。CO_2を出す会社や組織からは、出す量に応じてお金を集める炭素税があります。また、CO_2を減らす事業のために国が国債を発行しています。CO_2を減らした権利を売り買いする仕組み、排出権取引制度もあります。多く出す国から製品を輸入するときには、輸入のときに関税をとる方法、炭素国境調整措置（CBAM）、もあります。そのお金で、CO_2を減らす技術を普及するのです。

このようにCO_2に値段を付けて、出るCO_2の量を減らそうという仕組みを、カーボンプライシングといい、具体的に進み始めています。

03 エネルギーを蓄えるにはどうしたらいいの？

蓄電池はどんどん進歩している

蓄電池はなにからできているの？

蓄電池の多くがリチウムイオン電池です。電解液にリチウムを、プラスの電極（正極）にはコバルトやニッケルを使います。リチウムはオーストラリアやチリで採れますが、コバルトはコンゴで半分以上を生産しています。ただし、実際に製錬して金属にするのは中国企業のため、コバルトを使わない電池を開発しています。

たくさん電気を貯められる全固体電池や
全樹脂電池などが開発されているよ。
リチウムを使わない
ナトリウムイオン電池もあるんだ
さらに、車が走っていて
道路から電気をもらうことで、
車の電池を小さくする方法も
考えられているよ

再生可能エネルギー（再エネ）は、昼夜、天気、季節によって発電する量が変わります。日本でも、九州では、太陽光発電による電気が余って使われないこともありました。発電した電気を無駄なく使うには、揚水発電や蓄電池が使われます。蓄電池では、リチウムイオン電池がスマートフォンやパソコンだけではなく、電気自動車（EV）や、再エネを貯めるのに使われています。

EVは、2030年には、現在の何倍にも生産が増えるといわれており、リチウムイオン電池も同様に増えます。現在は中国での生産が圧倒的に多い状況です。電池だけではなく、再エネを増やすと必要になる機器が特定の国だけで生産するようになると問題です。

●揚水発電(2章9節参照)／●蓄電池(2章9節参照)

5

04

カーボンニュートラルにはどんな金属が必要なの？

レアメタルやレアアースがたくさん必要

世界のレアメタルの鉱石の生産量の割合

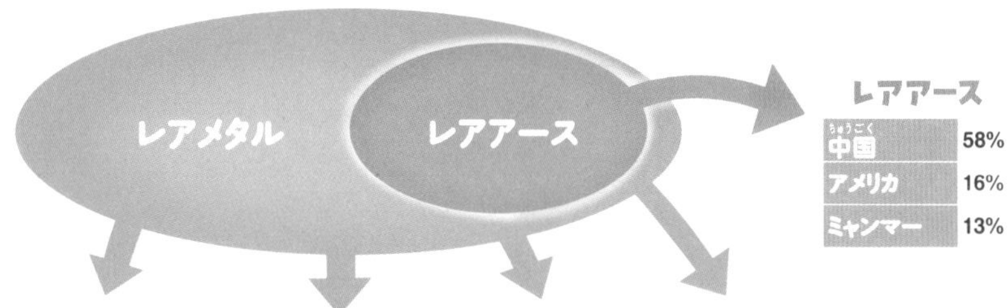
レアメタル
レアアース

レアアース	
中国	58%
アメリカ	16%
ミャンマー	13%

リチウム	
オーストラリア	52%
チリ	22%
中国	13%

コバルト	
コンゴ	68%
ロシア	5%
オーストラリア	4%

ニッケル	
インドネシア	39%
フィリピン	14%
ロシア	7%

モリブデン	
中国	33%
チリ	21%
アメリカ	18%

※生産量の割合は、独立行政法人エネルギー・金属鉱物資源機構（JOGMEC）「鉱物資源マテリアルフロー2021／2022」の鉱石生産量にもとづく

レアアースは、EVなどに使う強力な磁石、カメラなどのレンズ、DVDなどの光磁気ディスクなどに必要なんだ

レアメタルとレアアースってなんだろう？

　レアメタル（希少金属）は、採れる量が少ない、あるいは、鉱石から取り出すのが難しい金属で、経済産業省が31種類を指定しています。鉄、銅、亜鉛、アルミニウムなどのたくさん使うベースメタルや、金、銀などの貴金属以外の金属で、リチウム、バナジウム、クロム、コバルトなどを指します。

　レアアース（希土類）は、レアメタルの中で、独特の化学的性質を持つ17種類の元素で、ネオジムやジスプロジウムは、電気自動車（EV）や風力発電に欠かせない強力な磁石などに使われています。

　EVでは、従来の自動車に比べて、電池や磁石などにさまざまな金属を大量に使います。また、カーボンニュートラルに必要な技術には、レアメタルの中でも独特の化学的性質を持つレアアースが使われます。ところが、レアアースの生産は、ほとんどが中国で行われていました。安全保障の点から、ほかの国でも生産をしようとしています。

　これら金属を確保するために、アフリカや南アメリカなど海外の鉱山への投資が必要です。また、日本ではスマホや蓄電池をリサイクルして、レアメタルを回収し、もう一度、使おうとしています。廃棄物の中の金属を使うので、都市鉱山と呼びます。ほかのもっと資源がある金属に替える技術も重要です。さらに、日本の周辺海域の海底下の資源開発も進めています。

日本はこれからもエネルギーを輸入するの？

再生可能エネルギーが豊富で信頼できる国から輸入する

日本でCO_2フリー燃料を使う

日本では、太陽光発電や風力発電、地熱発電が増え、停まっている原子力発電は動きはじめるでしょう。しかし、それだけではすべての必要なエネルギーをまかなえません。また、太陽光発電は日中だけで、風力発電は季節によっては発電量が下がります。そこで、海外からCO_2フリーの燃料を安定して輸入することが必要なのです。

日本は、電気の系統がヨーロッパのようにほかの国とつながっていないので電気が不足したら大変。
でも海外で再エネからつくった燃料があれば、そんなときも大丈夫なんだよ
CO_2フリー燃料
LNGやメタノールなどの燃料

CO_2フリー燃料ってなんだろう？

使ってもCO_2を出したことにならない合成した燃料。CO_2を出さずにつくった水素やアンモニアだけではありません。回収したCO_2と、CO_2を出さずにつくった水素からつくったメタノールなどの合成燃料は、つくるのに使ったCO_2と使って出すCO_2が同じ量なので、全体としてはCO_2を出したことになりません。また、バイオマスからつくった燃料もそのように呼ばれています。

日本は、化石燃料のほとんどを海外から輸入しています。今後、カーボンニュートラルを実現するには、再生可能エネルギー（再エネ）などのCO_2を出さないエネルギーを使います。それにともない、今までの化石燃料の輸入量は少しずつ減るでしょう。

しかし、国内の再エネだけでは日本のエネルギーをまかなえないので、海外から再エネで製造した燃料、いわゆるCO_2フリー燃料を輸入することになります。水素だけではなく、水素を使ってつくった、アンモニア、メタン、メタノールなどです。メタノールは燃料や化学物質の原料になります。バイオマスもいいですが、量に限りがあります。

再生可能エネルギーが豊富で信頼できる国では

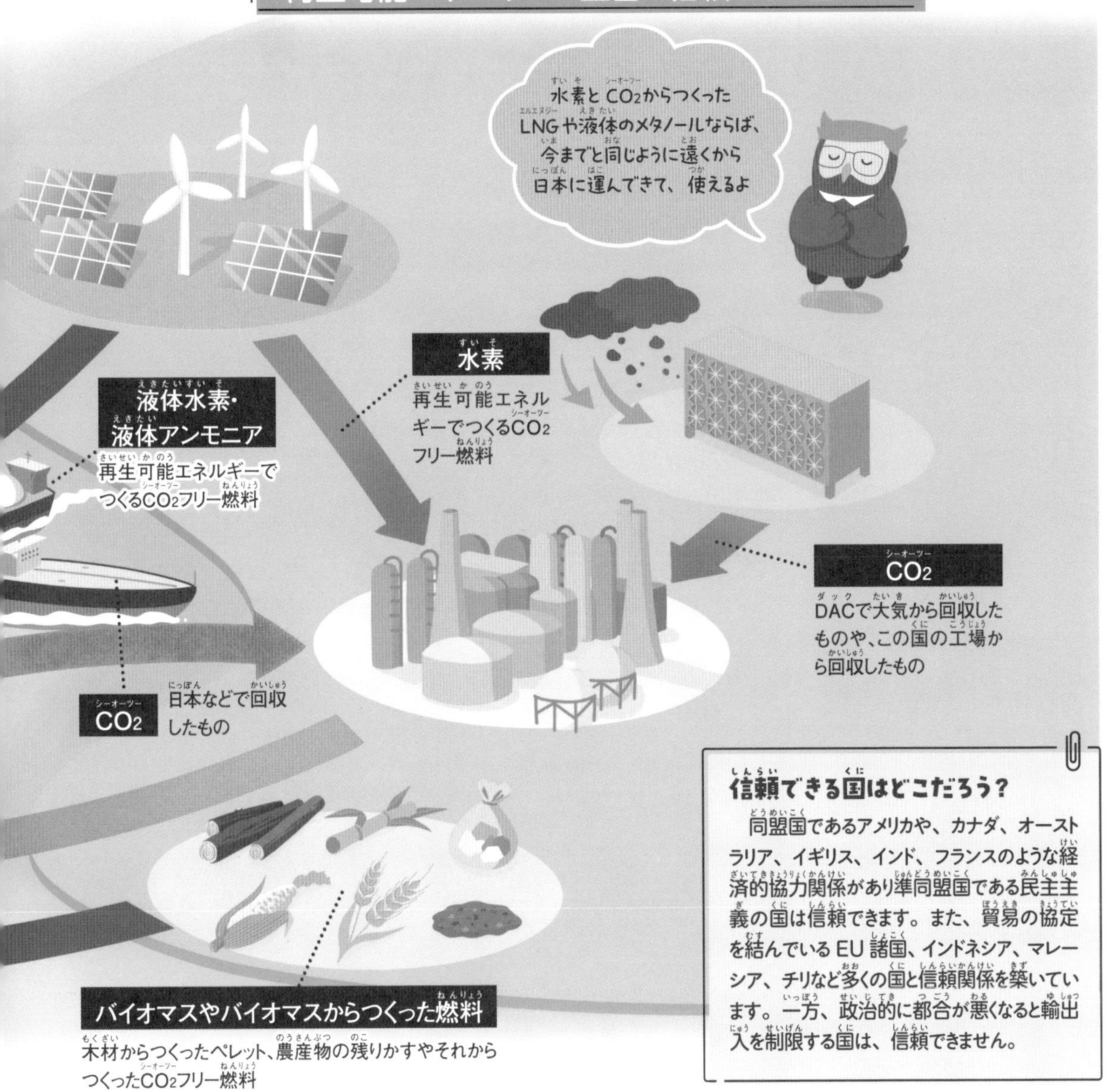
水素とCO2からつくったLNGや液体のメタノールならば、今までと同じように遠くから日本に運んできて、使えるよ
水素
再生可能エネルギーでつくるCO2フリー燃料
液体水素・液体アンモニア
再生可能エネルギーでつくるCO2フリー燃料
CO2
DACで大気から回収したものや、この国の工場から回収したもの
CO2
日本などで回収したもの
バイオマスやバイオマスからつくった燃料
木材からつくったペレット、農産物の残りかすやそれからつくったCO2フリー燃料

信頼できる国はどこだろう？

同盟国であるアメリカや、カナダ、オーストラリア、イギリス、インド、フランスのような経済的協力関係があり準同盟国である民主主義の国は信頼できます。また、貿易の協定を結んでいるEU諸国、インドネシア、マレーシア、チリなど多くの国と信頼関係を築いています。一方、政治的に都合が悪くなると輸出入を制限する国は、信頼できません。

再エネが豊富な国に日本で回収した CO_2 を運んで、メタンやメタノールをつくり、それらを日本が輸入するのです。DACという技術で CO_2 を大気から直接回収したり、その国の工場から回収した CO_2 を使うことも考えられます。少しずつ、従来の化石燃料に取って代わると思います。

3章5節で説明したような再エネが豊富で、安く得られるところで、これらの燃料をつくることになるでしょう。その国は、日本にとって信頼できる国で、比較的近いところにあり、安全に運んでこられる国がいいですね。まず、オーストラリアが挙げられますが、カナダ、南北アメリカやアジア諸国、アフリカとも良い関係をつくっていくことが大切です。

●DAC（5章2節参照）／●オーストラリア（4章4節参照）／●アジア諸国（4章11節参照）／●アフリカ（4章12節参照）

06 日本はエネルギーをどうしようとしているの？

日本の強味をいかす

日本の強味ってなんだろう？

❶ エネルギーをさまざまな国から買える

原油、天然ガス、石炭を安く売ってくれる国で買って、海を渡って持ってこれるのがいいよね。これからは再生可能エネルギーが豊富な国と付き合おう。お互い信頼して取り引きができること、そしてシーレーンの安全を保って安全に資源を持ってこれることが大事だよ

石油
LNG
太陽光
地熱など

もっと再エネからつくった
CO2フリー燃料を輸入したい。
オーストラリアだけではなく
ほかの国とも仲よくしておきたいなあ

日本はエネルギー自給率がヨーロッパ各国や韓国と比べても低いのです。そこで、さまざまな国からさまざまな燃料をこれからも輸入することになるでしょう。また、カーボンニュートラルを2050年までに実現するために、再生可能エネルギー（再エネ）を増やしていきます。国内の再エネを増やすことは安全保障の点から望ましいことです。とはいえ、海外からも再エネでつくった CO_2 フリー燃料を輸入していくことも必要です。

●エネルギー自給率（1章4節参照）／●さまざまな燃料（3章1節参照）／●CO_2フリー燃料（5章5節参）

海外との関係を大切に

❷ ほかのシーパワーの国と離れていても協力できる

これまではアメリカを中心とした世界のおもなシーパワーの国たちがシーレーンを守ってきたんだよ。イギリスやオーストラリアのようなほかのシーパワーの国の協力も得られる。日本も自分で守る努力をしないといけないよね

シーレーンを
みんなでしっかり
守りたいよね

日本の
これからの進む道には
3つの選択肢がある
といわれているよ
みんなは
どう思う?

シーパワー連合と協同
日米同盟を継続、インド太平洋戦略、アジアとの協同

独立独歩
核保有?

ランドパワーに従属
中国の傘下に?

❸ ランドパワーの国とは海を隔てている

今まではランドパワーの国は海の向こうに離れていたから安心だったけど、最近では、ランドパワーの中国が海に出てきてシーパワーを持つようになってきたので心配だね

離れていても、
ミサイルや空母を
持っているから
危ないなあ…

→ **シーレーンの確保** と **自国の防衛**

日本にとってもっとも重要なことは、現在の自由で民主的な体制を守るためには海外とのビジネス関係を維持しなければならないということです。まわりを海に囲まれた、いわゆる四面環海で資源に乏しい島国であって、1億を超える人口とその世界的な経済規模を支えるためには、どうしても海外貿易に頼らざるをえません。穀物や鉱物などの原材料だけでなく、今後も引き続き、さまざまな国と仲よくして、エネルギー、それもCO_2フリー燃料を輸入していきましょう。

07 エネルギーを輸入するためにシーレーンを誰が守るの？

シーパワーの国と協力する

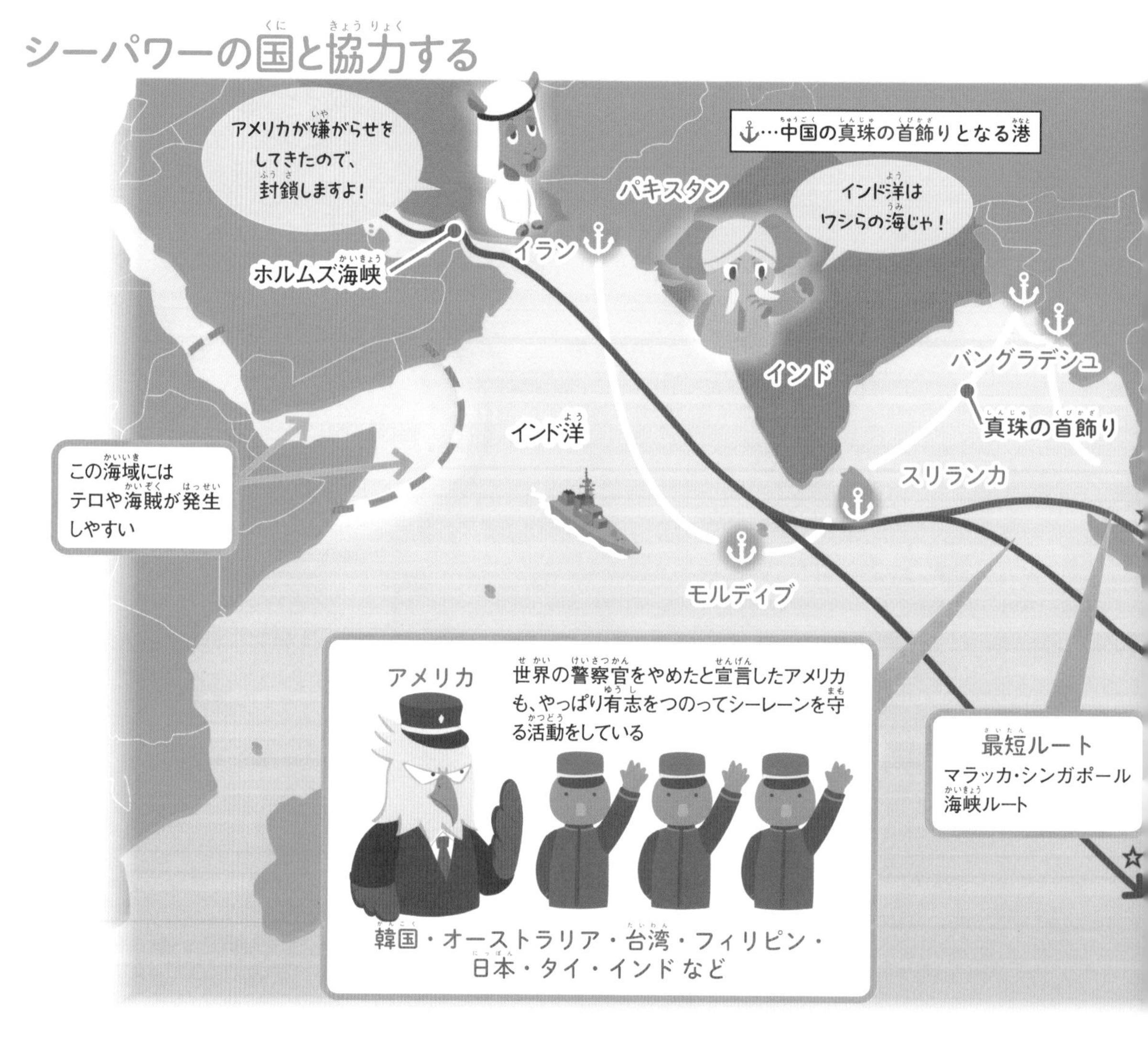

アメリカが嫌がらせをしてきたので、封鎖しますよ！
⚓…中国の真珠の首飾りとなる港
パキスタン
インド洋はワシらの海じゃ！
イラン
ホルムズ海峡
インド
バングラデシュ
真珠の首飾り
インド洋
この海域にはテロや海賊が発生しやすい
スリランカ
モルディブ
アメリカ
世界の警察官をやめたと宣言したアメリカも、やっぱり有志をつのってシーレーンを守る活動をしている
最短ルート
マラッカ・シンガポール海峡ルート
韓国・オーストラリア・台湾・フィリピン・日本・タイ・インド など

日本を中心とした東アジアのエネルギーのシーレーンにはおもに2つのチョークポイントが存在します。イランの沖にあるホルムズ海峡と、シンガポールのそばにあるマラッカ海峡です。ところがそのシーレーンのほとんどはインド洋に面しているため、必然的に新興大国であるインドや、その周辺の海軍の力が海の秩序の安定に大きな意味を持ってくることになります。

また、中国はパキスタンやモルディブ、スリランカ、バングラデシュの港の権益を確保し、陸路と組み合わせて、アメリカに対抗して独自のシーレーンを確保しようとしています。この戦略は港が連なっているので真珠の首飾りと呼ばれています。

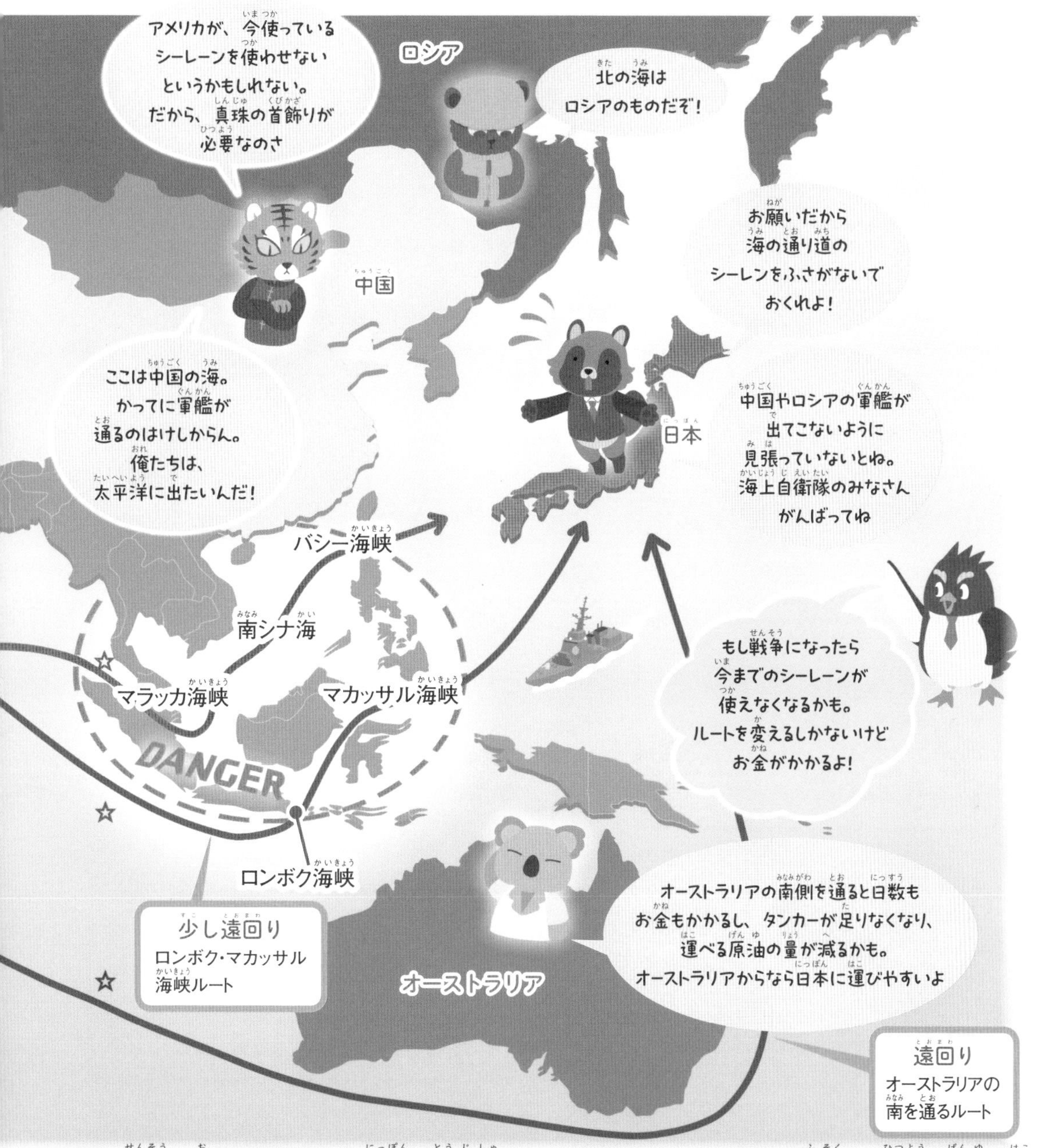
アメリカが、今使っているシーレーンを使わせないというかもしれない。だから、真珠の首飾りが必要なのさ
ロシア
北の海はロシアのものだぞ！
お願いだから海の通り道のシーレンをふさがないでおくれよ！
中国
ここは中国の海。かってに軍艦が通るのはけしからん。俺たちは、太平洋に出たいんだ！
中国やロシアの軍艦が出てこないように見張っていないとね。海上自衛隊のみなさんがんばってね
日本
バシー海峡
南シナ海
マラッカ海峡
マカッサル海峡
DANGER
ロンボク海峡
もし戦争になったら今までのシーレーンが使えなくなるかも。ルートを変えるしかないけどお金がかかるよ！
オーストラリアの南側を通ると日数もお金もかかるし、タンカーが足りなくなり、運べる原油の量が減るかも。オーストラリアからなら日本に運びやすいよ
少し遠回り
ロンボク・マカッサル海峡ルート
オーストラリア
遠回り
オーストラリアの南を通るルート

もし戦争が起こったら、たとえ日本が当事者でなくても、エネルギーを持ってくるのにいつも使っているシーレーンが使えなくなることも考えられます。そのような最悪の事態では、オーストラリアの南側を通って運ぶことになり、10～15日程度、余分な日数がかかります。その結果、輸送コストが上がるだけではなく、タンカーが不足し、必要な原油を運べなくなり、日本経済は破綻する可能性があります。東南アジアのシーレーンをいつも通れるようにしておくことがいかに大事かがよくわかります。

そのためには、アメリカだけに任せず、関係するシーパワーの国が協力していくことが重要です。

08 エネルギーを安全に使いつづけるために必要なこと

それぞれの国にあった協力関係をつくる

日本の技術力を高める

- カーボンニュートラルに役立つ技術を開発する
- 新しく売れる技術や製品をつくる
- 将来のために研究をする
- 研究者を育てる

国民どうし、仲よくする

- 海外の人たちと仲よくする
- 偽の情報にだまされない
- 英語などの外国語で、コミュニケーションを図れるようにする
- 海外で勉強や仕事をする

国どうし、仲の良い関係をつくる

- 国どうしでも国際交流などを通じて仲よくして、信頼し合い、困ったときにはお互いに頼れるようにする
- 国際機関に協力する
- 発展途上の国を支援する

生活に必要なエネルギーを得るには、日本は、世界の国々と協力していかなければならないね

エネルギーは人が生活する上で欠かせません。特に、電気は、豊かな生活になるほど、ディジタル化が進むほど使う量が増えてきます。

日本が、カーボンニュートラルをめざしながら、必要なエネルギーを得るには、技術開発や海外との協力、資源を探すなどの努力が欠かせません。再生可能エネルギーや原子力のような CO_2 を出さないエネルギーを日本の中で生産することは重要ですが、海外から輸入することも必要です。化石燃料よりお金がかかっても、工夫をして確実につくり、使って行くことが重要です。

日本の中でエネルギーを生産し、うまく使う
- 再生可能エネルギーや原子力を増やす
- 省エネをもっと進める
- AIを使いエネルギーをうまく使う

資源を確保する
- 将来必要になる資源を国内、海外、海底下で探す
- 海外で生産、輸入する権利を確保する
- エネルギーや関連する資源を国内に十分に備蓄する

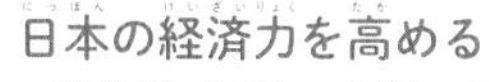

日本の経済力を高める
- 経済的に発展して日本の地位を高める
- エネルギーの値段が高くなっても買えるようにする

地政学の視点から
世界の国の動きを常に見て、
どうすればいいかを
考えていかないとね

国どうしの軍事協力関係をつくる
- 日本が自ら国を守る力を持つのはもとより、危ないときに頼りになる国をつくる
- シーパワーが協力し、エネルギーを運ぶためのシーレーンを協同で維持・管理する
- 自衛隊と海外の軍隊との共同訓練を実施する

国どうしの経済協力関係をつくる
- 多くの国と輸出入をしやすくする
- 困っている国を援助する。困ったときに助け合う
- CO_2フリー燃料を共同で開発、輸入する

まず、世界の国民と国どうしが仲よくすること、経済や軍事協力関係で信頼できる国どうし、特にシーパワーが手を結ぶことが大切です。国によって、資源があるかないか、気候、地形などの地政学的な違いがあるので、それを考えた上での協力関係が重要です。協力してサイバー攻撃を防ぐことも必要です。

日本が国際的に強くなければなりません。経済的に強いだけではなく、技術力や外交力、防衛力が重要です。特に、カーボンニュートラルに役に立つ技術を開発し、ほかの国から頼られるようになることです。そのためには、みなさんが世界に興味を持ち、勉強して立派な研究者、技術者、公務員、ビジネスパーソンになることを期待しています。

●CO_2フリー燃料（5章5節参）

09 SDGsでのエネルギー地政学の役割は？

安心して安定的にエネルギーを得るために必要

目標7　エネルギーをみんなに　そしてクリーンに

どこの国でも、みんながエネルギーを使えるようにする技術の開発や、支援を行おうという目標。さらに、再生可能エネルギーなどを使ってCO_2などの温室効果ガス（GHG）が出ないエネルギーをつくる、使うことを目標にしている

目標13　気候変動に具体的な対策を

温室効果ガス（GHG）が出る量をおさえるための取り組みやしくみをつくること。まさに、カーボンニュートラルを具体的に進めるための目標になっている

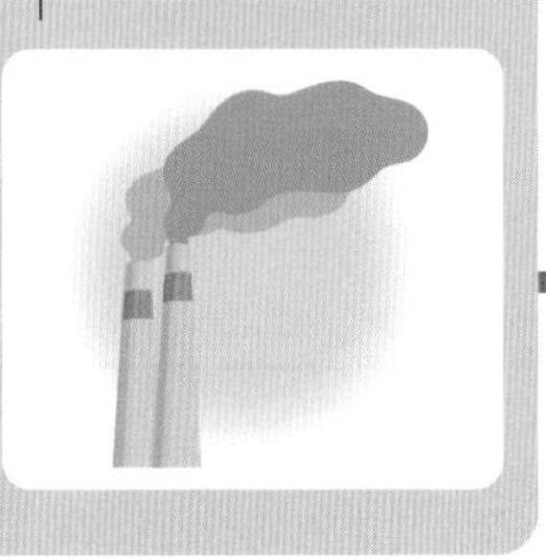

「SDGs」（持続可能な開発目標）には、17の国際目標がある

1
貧困をなくそう

2
飢餓をゼロに

3
すべての人に健康と福祉を

7
エネルギーをみんなに そしてクリーンに

8
働きがいも経済成長も

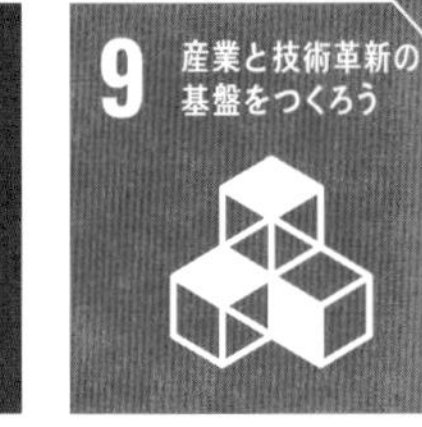
9
産業と技術革新の基盤をつくろう

13
気候変動に具体的な対策を

14
海の豊かさを守ろう

15
陸の豊かさも守ろう

SDGs（持続可能な開発目標）は、2016年から2030年の15年間で達成しなければならない17の国際目標のことで、国際連合が主導して決めました。エネルギー地政学は、世界でSDGsの多くの目標に関係しており、クリーンなエネルギーを確実に得られることをめざす上で重要です。

これからのエネルギーは、地球温暖化を防ぐために、カーボンニュートラルをめざしており、7番目が「エネルギーをみんなに、そしてクリーンに」と13番目が「気候変動に具体的な対策を」が必要な目標です。

目標 9 産業と技術革新の基盤をつくろう

再生可能エネルギーなどのクリーンエネルギーの開発や、それを効率良く安全に運んだり使う方法や、道路、電力、水道、通信などの設備を整えることを目標としている

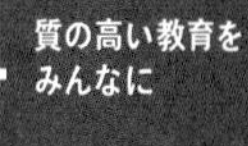
4 質の高い教育を
みんなに

5 ジェンダー平等を
実現しよう

6 安全な水とトイレ
を世界中に

10 人や国の不平等
をなくそう

11 住み続けられる
まちづくりを

12 つくる責任
つかう責任

16 平和と公正を
すべての人に

17 パートナーシップで
目標を達成しよう

出典：国際連合「持続可能な開発目標」

環境にやさしい
エネルギーを使う世界に
していきたいね
安全に確実に
エネルギーを得るには、
世界のことを知らないとね

目標 12 つくる責任 つかう責任

資源の生産から使うところまで、「より少ないものでより多く、よりよく」をめざして、環境にやさしいエネルギーを効率的に生産して必要なところに届けることで、すべての人々の生活の質的改善を目標にしている

また、9番目の「産業と技術革新の基盤をつくろう」では、カーボンニュートラルの技術を開発し、世界に展開していくことが目標です。日本が発展していくのに欠かせません。

12番目の「つくる責任つかう責任」では、再生可能エネルギーやレアメタル、レアアースなどの鉱物資源はもとより、化石燃料を生産し、船などで運び、使うところまでのサプライチェーンを確保し、エネルギーを安定、安全に供給することが求められています。

世界の国々と協力して、これらの目標を達成するようにしましょう。

おわりに

エネルギーは地政学的リスクの上に成り立ってきました。50年以上前、1973年に起きたオイルショック（石油危機）では、当時、おもなエネルギーである原油の供給が制限され、値段が急に何倍にもなり、世界が大混乱しました。全面的に海外にエネルギーを頼っている日本は、特に大きな影響を受けました。それを受けて、石油消費国が世界的組織である国際エネルギー機関（IEA）を設立し、各国で石油備蓄が推進されました。国内でも石油に替わるエネルギー開発や省エネルギーの推進、日本自ら海外での原油の開発を行いました。その結果、原油の中東依存率が下がりました。しかし、ロシアのウクライナへの侵攻から、ロシア原油の輸入が途絶えたことで、中東依存率が90％以上に上がってしまいました。

このように、地球上で争いがあると、エネルギーを安定して得ることができなくなります。日本のように島国でエネルギーがあまりない国にとっては致命的になりかねません。「歴史に学ぶ」とはエネルギーのためにある格言といえます。

今、カーボンニュートラルに向けて、エネルギーのトランジション（移行）が進んでいます。CO_2を減らすために再生可能エネルギー中心のエネルギーシステムに移行するのと、従来の石炭、原油、天然ガスからなる化石燃料のシステムが共存する状態です。あまりに急速に移行が進むことで、両エネルギーをバランスよく供給することができない事態になりかねません。そんな時に、エネルギーを供給する国で争いが生じるとエネルギー不足になり、オイルショックに留まらずエネルギーショックとなります。

本書では、有事の際に注目される地政学の考え方、エネルギーがどのようなしくみで供給され、世界の各国がどのように使ってきたのか、国によってどのような違いがあるのかを説明してきました。さらに、カーボンニュートラルに向けて、再生可能エネルギーを増やしていく上で、地政学的な問題がないかを問うています。そして、将来、安定してエネルギーを得るにはどうすればいいのかを示しました。

本書を手にとってくれた若い皆さんたちは、エネルギーの一つである電気は、コンセントにコードのプラグを挿せば当たり前に得られると思っていませんか？

家で電気を使うために、発電し送電して届けるのにどれだけの努力が払われているかを考えてみてください。発電するための燃料も必要ですね。その燃料は、戦争をしていない世界の国から得ることができるのです。

カーボンニュートラルの世界に向けても、エネルギーを安定して得る努力をつづけていかなければ、電気だけではなくエネルギーが来なくなるかも知れません。本書がきっかけとなり、皆さんが、将来、エネルギーを得るために第一線で活躍されることを願っています。

2024年 6月　奥山 真司／小野﨑 正樹

参考書籍

◎「90枚のイラストで 世界がわかる　はじめての地政学」いつかやる社長［著］／飛鳥新社（2022）

◎「NEDO再生可能エネルギー技術白書 第2版」独立行政法人新エネルギー・産業技術総合開発機構［編］／森北出版（2014）

◎「新しい世界の資源地図」ダニエル・ヤーギン［著］／東洋経済新報社（2022）

◎「異次元エネルギーショック」橘川武郎、平沼光、他［著］／日経BP、日本経済新聞出版（2023）

◎「インド太平洋戦略の地政学」ローリー・メドカーフ［著］／奥山真司、平山茂敏［監訳］芙蓉書房出版（2022）

◎「ウクライナ侵攻『地政学×地形学』の衝撃」加藤学［著］／アメージング出版（2023）

◎「エネルギーの世紀」ダニエル・ヤーギン［著］／東洋経済新報社（2015）

◎「エネルギー白書　2022年版」経済産業省［著］／日経印刷（2022）

◎「カーボンニュートラル 2050ビジョン」一般財団法人エネルギー総合工学研究所［編著］／エネルギーフォーラム（2024）

◎「カーボンニュートラル実行戦略：電化と水素、アンモニア」戸田直樹、矢田部隆志、塩沢文朗［著］／エネルギーフォーラム（2021）

◎「カーボンニュートラルの経済学」小林光、岩田一政［著］／日経BP、日本経済新聞出版（2021）

◎「危機の地政学」イアン・ブレマー［著］稲田誠士［監訳］新田享子［訳］日経BP、日本経済新聞出版（2022）

◎「再生可能エネルギーの地政学」十市勉［著］／エネルギーフォーラム（2023）

◎「サクッとわかるビジネス教養　地政学」奥山真司［著］／新星出版社（2020）

◎「資源争奪の世界史」平沼光［著］／日本経済新聞出版（2021）

◎「図解　新地政学・入門」高橋洋一［著］あさ出版（2022）

◎「図解でわかるカーボンニュートラル」一般財団法人エネルギー総合工学研究所［編著］／技術評論社（2021）

◎「図解でわかるカーボンリサイクル」一般財団法人エネルギー総合工学研究所［編著］／技術評論社（2020）

◎「図解でわかる再生可能エネルギー×電力システム」一般財団法人エネルギー総合工学研究所［編著］／技術評論社（2023）

◎「図解でわかる14歳から知る気候変動」インフォビジュアル研究所［著］／太田出版（2020）

◎「図解でわかる14歳からの脱炭素社会」インフォビジュアル研究所［著］／太田出版（2021）
◎「図解でわかる14歳からの地政学」インフォビジュアル研究所［著］／太田出版（2019）
◎「世界経済史概観　紀元1年－2030年」アンガス・マディソン［著］政治経済研究所［監訳］／岩波書店（2015）
◎「世界資源エネルギー入門　主要国の基本戦略と未来地図」平田竹男［著］／東洋経済（2023）
◎「石油の世紀　支配者たちの興亡　（上）（下）」ダニエル・ヤーギン［著］日高義樹、持田直武［訳］／日本放送出版協会（1991）
◎「戦略物資の未来地図」小山堅［著］／あさ出版（2023）
◎「探求　エネルギーの世紀　（上）（下）」ダニエル・ヤーギン［著］伏見威蕃［訳］／日経BP、日本経済新聞出版（2012）
◎「地球温暖化のファクトフルネス」杉山大志［著］／キヤノングローバル研究所（2021）
◎「地球の未来のため僕が決断したこと」ビル・ゲイツ［著］／早川書房（2021）
◎「地図でスッと頭に入る世界の資源と争奪戦」村上秀太郎［監修］／昭文社（2023）
◎「地政学　地理と戦略」コリン・S・グレイ、ジェフリー・スローン［編著］奥山真司［訳］／五月書房新社（2021）
◎「地政学から読み解く!　戦略物資の未来地図」小山堅［著］／あさ出版（2023）
◎「地政学が最強の教養である」田村耕太郎［著］／SBクリエイティブ（2023）
◎「地政学　見るだけノート」神野正史［監修］／宝島社（2020）
◎「武器としてのエネルギー地政学」岩瀬昇［著］／株式会社ビジネス社（2023）
◎「平和の地政学　アメリカ世界戦略の原点」ニコラス・スパイクマン［著］奥山真司［訳］／芙蓉書房出版（2008）
◎「マッキンダーの地政学　デモクラシーの理想と現実」H・J・マッキンダー［著］曽村保信［訳］／原書房（2008）
◎「マハン　海上権力史論」アルフレッド・T・マハン［著］北村謙一［訳］戸高一成［解説］／原書房（2008）
◎「見てわかる!　エネルギー革命:気候変動から再生可能エネルギー, カーボンニュートラルまで」一般財団法人エネルギー総合工学研究所［著］／誠文堂新光社（2022）
◎「やさしくわかるカーボンニュートラル」小野﨑正樹［著］／技術評論社（2023）

参考文献・報告書

◎BP, "Statistical Review of World Energy 2022" , (2022)
◎国際エネルギー機関(IEA), "Atlas of Energy",(2021)
◎国際エネルギー機関(IEA), "Energy Technology Perspectives",(2023)
◎国際エネルギー機関(IEA), "The Role of Critical Minerals in Clean Energy Transitions",(2022)
◎国際エネルギー機関(IEA), "World Energy Outlook 2023",(2023)
◎McKinsey Global Institute, "Geopolitics and the geometry of global trade", (2024)
◎小野﨑正樹/橋崎克雄,「火力発電の脱炭素化に向けたカーボンリサイクル活用の検討」, 火力原子力発電, 72, 307-314, (2021)
◎小野﨑正樹/橋崎克雄,「カーボンニュートラルのための地政学」, 季報エネルギー総合工学, 45,(2), 34-48(2022)
◎栗田真広,「中国・パキスタン経済回廊の再検討」, 安全保障戦略研究, 3, (2), 123-142, (2023)
◎経済産業省,「水素基本戦略」(2023)
◎経済産業省,「2050年カーボンニュートラルの実現に向けた検討」(2021)
◎経済産業省,「第6次エネルギー基本計画」(2021)
◎経済産業省　資源エネルギー庁,「エネルギー白書2024」(2024)
◎経済産業省他,「カーボンリサイクルロードマップ」(2023)
◎独立行政法人石油天然ガス・金属鉱物資源機構(JOGMEC),「鉱物資源マテリアルフロー2021, 2022」
◎独立行政法人日本貿易振興機構(JETRO),「世界最大の再生可能エネルギー市場・設備製造国として、対外進出にも意欲」(2021)
◎内閣府統合イノベーション戦略推進会議,「革新的環境イノベーション戦略」(2020)

参考ウェブサイト

◎CSIS(Center for Strategic & International Studies), https://www.csis.org/
◎米国エネルギー省(EIA:U.S. Energy Information Administration), https://www.eia.gov/
◎欧州連合(EU:European Union), https://european-union.europa.eu/index_en
◎GCCSI(Global CCS Institute), https://www.globalccsinstitute.com/
◎国際エネルギー機関(IEA:International Energy Agency), https://www.iea.org/

◎気候変動に関する政府間パネル(IPCC:The Intergovernmental Panel on Climate Change), https://www.ipcc.ch/
◎国際再生可能エネルギー機関(IRENA:International Renewable Energy Agency), https://www.irena.org/
◎北大西洋条約機構(NATO:North Atlantic Treaty Organization), https://www.nato.int/cps/en/natolive/index.htm/
◎米国国立エネルギー技術研究所(NETL:National Energy Technology Laboratory), https://netl.doe.gov/
◎石油輸出国機構(OPEC:Organization of the Petroleum Exporting Countries), https://www.opec.org/opec_web/en/index.htm
◎国際連合環境計画(UNEP:United Nations Environment Programme), https://www.unep.org/
◎気候変動に関する国際連合枠組条約(UNFCCC:United Nations Framework Convention on Climate Change), https://unfccc.int/
◎一般財団法人エネルギー総合工学研究所, https://www.iae.or.jp/
◎一般財団法人電力中央研究所, https://criepi.denken.or.jp/
◎一般財団法人日本エネルギー経済研究所, https://eneken.ieej.or.jp/
◎一般社団法人火力原子力発電技術協会, https://www.tenpes.or.jp/
◎一般社団法人海外電力調査会, https://www.jepic.or.jp/
◎一般社団法人日本ガス協会, https://www.gas.or.jp/
◎一般社団法人日本自動車工業会, https://www.jama.or.jp/
◎一般社団法人日本鉄鋼連盟, https://www.jisf.or.jp/
◎外務省, https://www.mofa.go.jp/mofaj/
◎環境省, http://www.env.go.jp/
◎気象庁, http://www.jma.go.jp/jma/index.html
◎経済産業省, https://www.meti.go.jp/
◎経済産業省・資源エネルギー庁, https://www.enecho.meti.go.jp/
◎公益財団法人自然エネルギー財団, https://www.renewable-ei.org/
◎公益財団法人地球環境産業技術研究機構(RITE), https://www.rite.or.jp/
◎公益財団法人日本国際問題研究所(JIIA), https://www.jiia.or.jp/
◎国際地政学研究所, https://www.igij.org/
◎国土交通省, https://www.mlit.go.jp/
◎国立研究開発法人産業技術総合研究所(AIST), https://www.aist.go.jp/
◎国立研究開発法人新エネルギー・産業技術総合開発機構(NEDO), https://www.nedo.go.jp/
◎石油連盟, https://www.paj.gr.jp/
◎電気事業連合会, https://www.fepc.or.jp/
◎独立行政法人エネルギー・金属鉱物資源機構(JOGMEC), https://www.jogmec.go.jp/
◎内閣官房, https://www.cas.go.jp/
◎内閣府, https://www.cao.go.jp/
◎防衛研究所, https://www.nids.mod.go.jp/
◎防衛省・自衛隊, https://www.mod.go.jp/

さくいん
索引

英数字

あ行

か行

索引

さ行

た行

索引

な・は行

ま・や・ら行

著者略歴

奥山 真司（オクヤマ マサシ）

地政学・戦略学者。戦略学博士（Ph.D. Strategic Studies）。多摩大学大学院客員教授。拓殖大学大学院非常勤講師など。国際地政学研究所上席研究員。戦略研究学会常任理事。日本クラウゼヴィッツ学会副会長代理。
カナダ・ブリティッシュコロンビア大学を卒業、2011年に英国レディング大学で博士号を取得。
近著に「世界最強の地政学」（文春新書、2024年）、「新しい戦争の時代の戦略的思考：国際ニュースを事例に読みとく」（飛鳥新社、2024年）ほか、監修書に「サクッとわかるビジネス教養 地政学」（新星出版、2020年）など。訳書に「大国政治の悲劇」（ジョン・ミアシャイマー著）、「米国世界戦略の核心」（スティーヴン・ウォルト著）、「地政学ー地理と戦略ー」（コリン・グレイ、ジェフリー・スローン編著）、「幻想の平和」（クリストファー・レイン著）、「なぜリーダーはウソをつくのか」（ジョン・ミアシャイマー著、以上、五月書房）、「戦略論の原点」（J・C・ワイリー著）、「平和の地政学」（ニコラス・スパイクマン著）、「戦略の格言」（コリン・グレイ著、以上、芙蓉書房出版）、「インド洋圏が、世界を動かす」（ロバート・カプラン著、インターシフト）がある。

著者略歴

小野﨑 正樹（オノザキ マサキ）

一般財団法人エネルギー総合工学研究所、アドバイザリー・フェロー。九州大学より博士（工学）、米国プロフェッショナルエンジニア（PE）。
1975年、早稲田大学大学院理工学研究科修士課程修了後、千代田化工建設株式会社に入社。オイルショック後の1980年から1981年まで石炭転換技術の研究のため米国ウェストバージニア大学留学。その後、石炭液化、石油精製、化学プラントの設計を担当。2000年に現研究所に移籍し、化石燃料グループの部長、研究統括の理事として、国のエネルギー技術戦略策定や化石燃料の利用技術の検討、CO_2利用技術（CCUS）やカーボンニュートラルの研究に従事。その間、1989年のベルリンの壁崩壊の時期にオランダに駐在、中央アジアのウズベキスタン、キルギスタンなどの国々やオーストラリア、パキスタン、インドネシア、中国、中東諸国など世界各国での業務に携わる。一方で、経済産業省やNEDOのエネルギー関連の各種委員会委員を歴任。
近著に「カーボンニュートラル2050ビジョン」（共著、エネルギーフォーラム、2024年）、「やさしくわかるカーボンニュートラル」（単著、技術評論社、2023年）、「図解でわかるカーボンニュートラル」（共著、技術評論社、2021年）、「図解でわかるカーボンリサイクル」（共著、技術評論社、2020年）、「石炭の科学と技術」（共著、コロナ社、2013年）や論文など多数。

イラストレーター略歴

小野﨑 理香（オノザキ リカ）

2006年、武蔵野美術大学視覚伝達デザイン学科卒業、2008年、東京芸術大学大学院映像研究科修士課程修了。
会社員を経てフリーランスのイラストレーター、映像クリエイターとして独立。2017年、アーティスト・イン・レジデンスとしてフィンランドに滞在。中之条ビエンナーレなどに出展多数。2018年、日本イラストレーター協会主催「JIA Illustration Award 2018」でグランプリ受賞。幅広いタッチで多くの書籍の挿絵・イラストを手がけている。本書は、「未来につなげる　みつけるSDGs」シリーズのイラスト制作では３冊目になる。

■本書へのご意見、ご感想について
本書に関するご質問については、下記の宛先にFAX もしくは書面、小社ウェブサイトの本書の「お問い合わせ」よりお送りください。
電話によるご質問および本書の内容と関係のないご質問につきましては、お答えできかねます。あらかじめ以上のことをご了承の上、お問い合わせください。
ご質問の際に記載いただいた個人情報は質問の返答以外の目的には使用いたしません。また、質問の返答後は速やかに削除させていただきます。

〒162-0846 東京都新宿区市谷左内町21-13
株式会社技術評論社 書籍編集部
「やさしくわかるエネルギー地政学」質問係
FAX番号：03-3267-2271
本書ウェブページ：
https://gihyo.jp/book/2024/978-4-297-14111-0

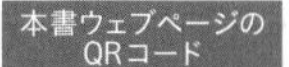
本書ウェブページの
QRコード

カバー・本文デザイン
神永愛子（primary inc.,）
DTP
松尾美恵子／山口勉
（primary inc.,）
編集
最上谷栄美子

EU

未来（みらい）につなげる・みつけるSDGs（エスディージーズ）
やさしくわかるエネルギー地政学（ちせいがく）
～エネルギーを使（つか）いつづけるために知（し）っておきたいこと～

2024年 7月 18日 初版 第1刷発行

著　者　小野﨑 正樹（おのざき まさき）／奥山 真司（おくやま まさし）
発行者　片岡 巌
発行所　株式会社技術評論社
東京都新宿区市谷左内町21-13
電話 03-3513-6150 販売促進部
03-3267-2270 書籍編集部
印刷／製本　株式会社 加藤文明社

定価はカバーに表示してあります。

ISBN 978-4-297-14111-0 C0030
Printed in Japan